Arrêtez de vous disputer!

« C'est la vie aussi »
Collection dirigée par Bernadette Costa-Prades

« (…) *je souhaitais une sœur cadette,*
aujourd'hui encore, c'est bien le seul lien
de parenté qui m'émeuve. »

Jean-Paul Sartre, *Les Mots.*

Nicole Prieur
Isabelle Gravillon

Arrêtez de vous disputer!

Faut-il se mêler des conflits des enfants?

Albin Michel

Introduction

Quoi de plus banal et anodin qu'une dispute entre frères et sœurs? Cela ne l'est sans doute pas tant que ça puisque vous êtes prêts à lire ce livre! Le sujet vous préoccupe donc un tant soit peu... Est-il normal que mes enfants se bagarrent autant? Pourquoi ai-je tant de mal à le supporter? Est-ce simplement le bruit que cela occasionne ou ces chamailleries fraternelles réveillent-elles en moi un malaise plus profond? Voilà des questions que vous vous posez peut-être... et qui sont tout à fait légitimes!

Il faut dire que «l'air du temps» ne nous aide pas vraiment à rester sereins face aux querelles de notre progéniture. Tout se passe en effet comme si la famille sans conflits constituait actuellement l'idéal absolu à atteindre. Or, ce modèle familial «tout consensus» n'est qu'un mythe, qui plus est dangereux! Le lien fraternel ne peut faire l'économie de l'hostilité et même de la haine, c'est ainsi. Empêcher que ces sentiments à priori peu nobles s'expriment librement dans la fratrie, c'est aussi empêcher que l'amour et la complicité entre frères et sœurs naissent. Car l'un ne peut aller sans l'autre, comme les deux faces d'une pièce. Autrement dit, plus vos enfants pourront se disputer sans avoir l'impression de vous décevoir et d'être jugés comme des «affreux», plus ils s'aimeront et s'entendront à d'autres moments!

Alors on peut les regarder s'étriper sans s'en mêler? Ce serait trop simple! On ne peut laisser les enfants gérer seuls leurs conflits: ce serait courir le risque que les plus forts imposent leur loi aux plus faibles de la fratrie. Pas franchement équitable... Face aux disputes entre frères et sœurs, les parents auront donc à trouver le bon équilibre: intervenir avec doigté pour que chaque enfant puisse expérimenter tour à tour les deux rôles de «perdant» et de «gagnant».

Évidemment, cela veut dire ne pas donner systématiquement tort au même enfant et raison à l'autre. Ce qui peut nous arriver plus souvent qu'à notre tour, sans même que nous nous en rendions compte. Vraiment? On s'en apercevra assez facilement pour peu qu'on prenne le temps de s'interroger honnêtement sur nos modes de fonctionnement avec chacun de nos enfants. Cela n'a d'ailleurs rien de très étonnant. Les liens que l'on crée avec son fils ou sa fille sont largement complexes, tributaires de notre passé, de notre vie de couple et de bien d'autres choses encore, dont en tout premier lieu... l'inconscient!

Ce livre a pour ambition de vous aider à vous interroger sur la manière dont fonctionne votre famille. Mais il a surtout pour but essentiel de vous donner l'envie de faire preuve d'imagination pour inventer vos propres solutions afin de faire face plus tranquillement aux bagarres de vos enfants et d'en tirer le meilleur parti. Car, même si elles sont épuisantes à supporter, les disputes entre frères et sœurs sont utiles dans la mesure où elles permettent à la constellation familiale de «bouger». Elles sont des messages que les enfants envoient aux parents pour leur parler d'eux, de leurs attentes, éventuellement de leur mal-être. Quand ils se battent, vos enfants vous disent: «Papa, maman, regardez-nous, écoutez-nous, essayez de nous comprendre!» En espérant que ces quelques pages vous aideront à considérer désormais leurs conflits d'un nouvel œil, plus réceptif et moins excédé...

Chapitre 1

Le mythe pesant de la fraternité

On a trop souvent tendance à croire qu'une famille réussie doit faire l'économie des conflits entre frères et sœurs. Erreur! Les disputes fraternelles sont non seulement inévitables mais même utiles.

▦ L'ère de la «famille en or»

Peu d'entre nous échappent à la gêne, parfois même la honte, lorsque nos enfants se chamaillent, se frappent, se lancent des noms d'oiseaux devant témoins! Que vont penser les autres, les amis, les voisins, les grands-parents? Sans doute que nous ne sommes pas très doués en éducation, puisque pas tout à fait capables de faire régner l'harmonie parmi notre progéniture. Peut-être aussi que nos enfants sont très perturbés pour être si agressifs entre eux. Bref, nous sommes convaincus qu'une simple dispute entre gamins va forcément nous attirer le jugement négatif de tout notre entourage.

Et même lorsque les querelles de nos enfants se déroulent à huis clos, dans l'intimité de nos murs, elles ne nous déstabilisent pas moins. Elles nous touchent en profondeur, comme s'il était impensable qu'une famille réussie sombre dans l'enfer des disputes fraternelles. Pourquoi accorder tant d'importance à ces petits accrocs entre frères et sœurs, pourtant bien normaux dans une vie de famille? Parce que nous sommes en partie victimes de l'air du temps.

Et actuellement, l'air du temps met à l'honneur la famille «zéro conflit»! Alors qu'au-dehors règnent le chômage et la violence, que partout plane le spectre du divorce, la famille apparaît à beaucoup comme le dernier refuge, la protection absolue: elle se doit donc d'être parfaite, chaleureuse, rassurante, paisible. Une conception lisse, peu compatible avec les bagarres. On attend de nos enfants qu'ils nous renvoient l'image de cette famille idéale que nous essayons tant bien que mal de construire – donc qu'ils se tiennent tranquilles! Finalement, la représentation naïve et sirupeuse du lien fraternel qu'offre l'indémodable série télévisée

La Petite Maison dans la prairie, n'est pas faite pour nous déplaire. Pour être pleinement sereins, nous avons besoin d'être sûrs que nos enfants s'aiment d'un amour inconditionnel et sans tache...

Un mythe qui vient de loin

Il faut dire qu'en matière d'idéologie familiale, nous portons le poids d'une longue et lourde histoire. La fraternité a toujours été un rêve cher à l'humanité, l'un des grands mythes fondateurs de notre civilisation. N'est-ce pas l'un des trois principes inscrits aux frontons des institutions de la République? Et même avant la Révolution française, à l'époque de l'Ancien Régime, les conflits entre frères et sœurs éclataient rarement au grand jour – ce qui n'empêchait certainement pas les haines larvées et tenaces. La place de chacun des enfants était soigneusement prédéterminée par la loi et la tradition dès la naissance (l'aîné héritait de la fortune familiale, le deuxième entrait dans l'armée, le troisième entrait dans les ordres, etc.). À l'intérieur de ce carcan social que nul n'aurait songé à contester, les disputes fraternelles auraient été vaines et sans issue. Elles n'avaient donc pas lieu, ou bien on ne leur accordait guère d'importance : en tout cas, elles ne suffisaient pas à ébranler les parents dans leur rôle.

Au fil des années, ce mythe de la famille idéale au sein de laquelle il faut s'entendre envers et contre tout s'est affirmé, avec une nette accélération durant les XIXe et XXe siècles. Le régime de Vichy représente à cet égard une étape importante. À cette époque, les institutions politiques se sont appuyées sur la famille comme pierre angulaire de la société. Mais pas n'importe quelle famille ! Une famille fondée sur les valeurs d'effort, de travail, d'honneur. Avec, là encore, des places bien précises assignées à chacun de ses membres : le père au travail à l'extérieur, la mère à la maison pour s'occuper des enfants – nombreux si possible car considérés comme une véritable richesse · et, ces derniers, respectueux de leurs parents, soumis à l'autorité patriarcale et évitant de faire des vagues ! Point de place donc pour les chamailleries ! Elles auraient fait désordre dans une société qui prônait l'ordre comme idéal suprême.

Un peu plus tard, en accédant à la connaissance du psychisme et du fonctionnement des relations intrafamiliales grâce à la vulgarisation de la psychanalyse, nous avons innocemment cru que compréhension pouvait rimer avec maîtrise. Nous avons naïvement imaginé que les conseils des psys en tout genre, largement diffusés par la presse féminine et familiale, allaient nous apporter sur un plateau la recette de la pleine et bonne entente. De là datent nos doutes: comment peut-on avoir à la maison des enfants qui se tapent dessus alors qu'on a consciencieusement lu tout Dolto? On a sûrement dû commettre une erreur quelque part...

▓ Le poids de notre enfance

Outre ces explications liées à l'air du temps et la force de l'histoire, le mythe de la «famille en or» trouve également ses racines dans la «petite» histoire, la nôtre, celle de notre vie et de notre enfance. Si nous avons si peur des conflits entre nos enfants, c'est probablement aussi parce qu'ils nous renvoient à ceux que nous avons vécus avec nos propres frères et sœurs quand nous étions petits. En tentant de gommer les disputes actuelles, nous voyons là une occasion – évidemment illusoire – de réparer le passé et notre propre vécu fraternel. Quand nous avons tant de mal à supporter que s'expriment la jalousie, la rivalité et même la haine entre nos enfants, c'est sans doute que nous avons autrefois souffert de ces sentiments exacerbés. Quand nous sommes complètement déstabilisés par une bagarre un peu violente entre nos bambins, ne sachant s'il faut les laisser se débrouiller tout seuls, intervenir, prendre parti, défendre le plus faible contre le plus fort, c'est probablement que nos propres parents ne nous ont pas toujours accordé la place à laquelle nous aspirions au sein de la fratrie.

Mais attention, vivre les querelles de nos enfants à travers le prisme de notre expérience passée – et peut-être même présente, car après tout, où en sommes-nous de nos relations avec nos frères et sœurs ? – ne peut que nous induire en erreur. Chaque génération a sa place et ses enjeux qu'il faut savoir ne pas mélanger, c'est la meilleure manière d'établir un lien sain avec ses enfants... Si vraiment nos propres relations fraternelles nous gênent au point qu'elles semblent déteindre sur nos enfants, il serait peut-être temps d'y réfléchir et d'apporter une solution au niveau où le problème se pose, c'est-à-dire à l'«étage» de notre génération de parents. Nous aurons tout à gagner à ne pas entretenir la confusion, à ne pas vivre les émotions en lieu et place de nos enfants. Cela permet dans tous les cas d'instituer une différenciation essentielle et indispensable entre eux et nous.

Et puis, enfin, pour expliquer notre difficulté à accepter les conflits entre nos enfants, il y a sans doute une incapacité à assumer leur souffrance. Quand frères et sœurs se battent et règlent leurs comptes, c'est souvent sans concession, dans une grande violence. Les voir ainsi blessés, meurtris, nous rappelle que nous ne pouvons les protéger de tout. Et non, nous ne sommes pas tout-puissants et c'est parfois très difficile à admettre! Pour nous y aider, peut-être pourrions-nous garder en mémoire le fait qu'un enfant découvre et développe ses ressources propres, c'est-à-dire se renforce, quand il parvient à dépasser les moments douloureux de son existence.

Une réalité forcément contrastée

À ce stade, une remarque s'impose: quel gouffre incroyable sépare cette conception plutôt aseptisée de la famille à laquelle nous avons aujourd'hui abouti, des liens fraternels tortueux décrits à l'aube de l'humanité dans les récits bibliques! Rappelons-nous par exemple de Romulus tuant Rémus ou de Caïn exécutant Abel. Il fut donc un temps où l'on reconnaissait que l'amour entre frères et sœurs n'est pas automatique, loin de là, et que la haine est rarement un sentiment absent des fratries. Un temps où l'on osait s'approcher au plus près de la réalité fraternelle qui ne peut manquer de faire émerger des pulsions agressives.

Alors comment en est-on arrivé à vouloir gommer totalement cet aspect sombre du lien fraternel ? Justement peut-être pour le conjurer. En érigeant la fraternité sans faille ni accident comme le but à atteindre dans toute famille digne de ce nom, on espère peut-être tenir en respect les sentiments forcément très ambivalents qui existent entre nos enfants.

Cette référence aux mythes ancestraux sanguinaires n'est pas inutile. Bien sûr (et heureusement !) ils sont fort loin de notre réalité familiale quotidienne et il est bien peu probable que nous ayons à connaître un jour des conflits d'une telle ampleur entre nos enfants. Mais dans la mesure où ces récits rappellent à notre conscience cette face du lien fraternel que nous aurions volontiers tendance à occulter, il faut faire l'effort de les entendre. Ils nous aideront à mieux accepter les rivalités fraternelles que nous observons chaque jour chez nous et à les vivre comme quelque chose de tout à fait normal et même utile.

▓ Des conflits inévitables

Car au fond, nous savons tous que l'entente parfaite n'existe pas. Encore moins à notre époque que dans le passé. Tous les parents d'aujourd'hui ont en effet compris ce que «démocratie familiale» veut dire! Vous savez, cette tendance à expliquer, négocier avec ses enfants tous les interdits que l'on pose parce qu'ils ne sauraient plus s'imposer désormais par la force et l'autoritarisme. Dans ce contexte égalitaire, où l'enfant est reconnu comme un sujet à part entière au même titre que les adultes, les revendications s'expriment forcément plus. Quelle époque paradoxale! Alors que le conflit est mal vu parce qu'on le croit menaçant pour la famille, il ne s'est jamais autant extériorisé. Voilà qui contribue sans doute encore à accentuer notre malaise.

Un bambin se sent ainsi davantage autorisé à clamer qu'il déteste ce frère ou cette sœur qui vient d'arriver dans la famille et bouleverse son équilibre, ou cet aîné qui l'empêche de grandir et lui barre l'horizon. Tant mieux! C'est uniquement parce que ces sentiments forts s'expriment ouvertement que les parents peuvent en faire quelque chose, imaginer des solutions, se montrer inventifs. La bonne attitude consiste donc à compter avec une réalité fraternelle forcément con-flictuelle et à l'accepter.

Nulle autre relation que le lien fraternel n'est autant à géométrie variable. À un moment, c'est l'entente par-faite entre frères et sœurs. Dix minutes plus tard, cela tourne au pugilat et à la haine. Reconnaître ces deux pôles est la seule manière de ne pas figer les enfants dans un rapport artificiel : soit faussement harmonieux sans le moindre accroc parce qu'il n'y a pas de place pour de tels «dérapages» dans la famille ; soit perpétuel-lement violent parce que sans doute inconsciemment attisé par des parents qui ne s'imaginent pas ou ne sou-haitent pas que cela puisse fonctionner autrement.

▧ Des parents garants

Et puis pas de panique, les disputes entre frères et sœurs, même si elles nous paraissent très dures, ne sont pas forcément une catastrophe. Elles permettent au contraire à chaque enfant de se situer par rapport à l'autre, de dessiner sa place dans la famille. Seule une bonne bagarre ou une bonne altercation permet de ne pas céder au rôle qu'un frère ou une sœur veut nous faire jouer de force, et d'accéder à sa vraie place. C'est une manière très efficace d'affirmer son individualité. Les disputes aident à grandir et à se construire. Et même si une relation est très conflictuelle, même si l'amour ne «prend» pas entre les frères et sœurs – cela peut arriver – un enfant ne sera pas obligatoirement «marqué». Dans certains cas, l'enfant peut avoir davantage besoin de défendre son territoire que d'être aimé par son frère ou sa sœur. Faire reconnaître et respecter sa place peut être essentiel pour l'aider à développer une bonne image de lui-même. Sur le plan affectif, l'amour que lui portent ses parents contribue déjà très largement à le combler et le rassurer.

Mais attention tout de même, si un enfant n'est pas forcé d'aimer ses frères et sœurs, il doit les respecter, ne pas les abîmer au sens physique mais surtout psychique du terme. Et c'est aux parents qu'il appartient – on y reviendra longuement dans la suite de cet ouvrage – d'assurer ce rôle de protecteurs et de garants de l'identité physique et psychique de chacun des membres de la fratrie. Comment ? En trouvant la bonne mesure : laisser le conflit s'exprimer tout en veillant à ce que cela ne soit pas toujours le même enfant qui ait le dessus, ou bien que des processus d'humiliation ne se mettent en marche et ne s'installent.

Bien sûr, entre la théorie et la pratique il y a souvent un monde... Et malgré toute notre bonne volonté nous n'arriverons pas en un jour, comme par miracle, à faire face sereinement aux disputes de nos enfants, à les gérer efficacement. Si jusqu'à présent elles nous bouleversaient ou nous irritaient profondément, nous faisant perdre tous nos moyens, il faudra du temps et surtout un certain courage pour accepter de regarder en face nos modes de fonctionnement.

La tâche des parents d'aujourd'hui est d'ailleurs d'autant plus difficile qu'il n'existe plus, comme autrefois, de modèle unique d'éducation qui pourrait s'appliquer à toutes les familles. Chacune doit trouver son propre mode d'emploi, à tâtons, en fonction de son histoire, de sa configuration – «classique», monoparentale, recomposée, nombreuse, etc. Un défi loin d'être simple à relever...

L'essentiel

■ Nous avons souvent beaucoup de mal à supporter que nos enfants se disputent. Leurs querelles nous renvoient l'image d'une famille désunie et nous font penser que nous sommes de mauvais parents.

Cette croyance que les frères et sœurs doivent s'aimer envers et contre tout, en tout cas ne pas extérioriser leurs rivalités, est héritée de l'histoire. Seuls les mythes ancestraux reconnaissaient la violence du lien fraternel.

Or, le lien fraternel oscille forcément entre la haine et l'amour. Reconnaître le conflit entre les frères et sœurs est la meilleure façon de pouvoir le dépasser et d'en faire quelque chose de constructif.

Chapitre 2
Ce frère, cette sœur, cet intrus

Quel que soit le rang que l'on occupe dans la fratrie, un frère ou une sœur représente forcément un intrus à certains moments. Pourquoi tant de haine? Les raisons objectives ne manquent pas pour expliquer la violence d'un tel sentiment.

On pourrait comparer les rapports entre frères et sœurs au balancier d'une pendule! Comme nous l'avons déjà évoqué, ils oscillent sans fin entre des mouvements extrêmes, entre le «beau fixe» fait de complicité, d'amour, d'admiration et la «tempête» où haine, violence, rivalité, jalousie se déchaînent. À notre grand étonnement, ces deux modes relationnels peuvent d'ailleurs se succéder à quelques minutes à peine d'intervalle. On a tous vu nos bambins s'écharper, avant de se réconcilier un instant plus tard et jouer ensemble comme s'ils étaient les meilleurs amis du monde et que rien ne s'était passé.

Nous commencerons par examiner le revers sombre de la médaille, celui qui nous inquiète le plus et que nous avons le plus de mal à supporter. Celui qui nous donne parfois l'impression que nos enfants se détestent. Car entre un frère et une sœur, deux frères ou deux sœurs, l'entente n'est pas donnée d'emblée, loin de là. On pourrait même dire que tout commence plutôt mal dès le départ !

▧ Un aîné déchu

Pour un aîné, l'arrivée du second enfant ne peut être vécue autrement que comme un véritable séisme. Pour lui, il y a désormais un «avant» la naissance de bébé et un «après». Plus rien ne sera jamais comme avant... Resituons-nous dans le contexte : lors de sa naissance, c'est lui, l'aîné, qui a fait passer ses géniteurs du statut d'«amoureux» à celui de «parents». Il a en quelque sorte fondé la famille. C'est lui aussi qui a porté pendant le temps où il était unique, le projet parental, les projections d'«enfant parfait» faites sur lui, sur ses seules épaules. Autant d'événements forts qui appartiennent à son histoire propre et ne concernent que lui : pour un deuxième enfant, les parents sont déjà parents quand il arrive et leurs attentes sont désormais réparties sur leurs deux enfants. Il n'y a plus cette dimension fondatrice et unique qu'a connue l'aîné. Voilà qui confère une position très particulière au premier-né et l'on comprend qu'il lui sera difficile d'en changer.

Imaginons un instant le choc que peut représenter pour lui le spectacle de sa maman rentrant de la maternité avec le «nouveau» bébé dans les bras. Il la voit dans un état d'empressement extrême et de fusion avec ce petit être, et comprend vite que l'exclusivité a pris fin pour lui. Il y a là une notion de perte assez cruelle. L'aîné perd en partie le regard dans lequel il s'était construit, puisque désormais un autre que lui attire aussi l'attention de sa mère. Fini le temps où elle n'avait d'yeux que pour lui... L'entourage également détourne momentanément son regard de lui et se laisse accaparer par l'«autre». L'aîné est souvent exclu du petit jeu des ressemblances autour du berceau – chacun attribue au bébé le nez du papa, les yeux de la grand-mère, les mains de la maman, etc. Et lui, à qui ressemble-t-il dans la famille ?

Mais les désillusions de l'aîné ne s'arrêtent pas là. Il perd également partiellement les bras qui l'ont porté, entouré, rassuré sans le contraindre ni le retenir, grâce auxquels il a édifié sa sécurité affective: maintenant, le bébé lui aussi, et même surtout lui pour l'instant, a droit aux faveurs du portage. D'un seul coup, le «grand» ne se sent plus contenu, plus intégré au groupe. Il a sans doute un peu l'impression de voler en éclats.

Rien d'étonnant dès lors à ce qu'il connaisse un passage à vide. Rien de surprenant non plus à ce qu'il ait envie de se débarrasser de cette espèce de traître, le bébé, qui le met dans un tel état de privation et de frustration. Cette haine fraternelle est bien le moins qu'il puisse faire, face à la menace que représente ce nouveau venu! Car c'est bien dans son identité même que l'aîné est «attaqué». Comment pourrait-il ne pas être renvoyé au plus profond de lui à la question de son existence, de son avenir? Mes parents vont-ils seulement continuer à m'aimer? Vais-je encore exister dans leurs yeux si pleins du «petit»? Il y va de sa survie, de la conservation de soi. Face à de tels enjeux, la haine ne semble pas disproportionnée.

Le besoin d'être reconnu

On comprend qu'un enfant ne peut être laissé seul face à des sentiments d'une telle violence. Comment l'accompagner, le soulager? D'abord en lui racontant que lui aussi en son temps a connu cette période bénie de fusion avec sa maman. Que lui aussi à sa naissance a été l'objet de toutes les attentions de la part de ses parents et de toute la famille. En réalisant qu'il a aussi vécu ce que vit en ce moment le bébé, l'aîné est restauré dans son narcissisme. Toute la famille y gagne en sérénité! Il est vraiment important d'en passer par cette étape des souvenirs et de ne surtout pas se contenter de faire crouler le «grand» sous les interdits. «Ne touche pas au bébé, tu vas lui faire mal», «Ne fais pas de bruit, tu vas le réveiller»: des petites phrases qu'on prononce sans trop y penser mais dont l'effet peut être dévastateur. Elles auront pour conséquence de rendre le bébé encore plus «intrus» et menaçant pour le grand frère ou la grande sœur. Dommage...

Inutile également de s'inquiéter des mouvements régressifs temporaires de l'aîné, il en sortira de lui-même d'autant plus facilement que l'on nommera clairement les avantages à être grand. Être le plus grand, ce n'est pas seulement entrer dans le registre du devoir «tu dois accepter cela du petit...» – ce qui ne fait qu'augmenter le sentiment d'injustice –, c'est aussi gagner en aptitudes. Les plus jeunes permettent finalement aux aînés de développer et d'acquérir un certain nombre de «droits»: regarder plus tard la télé, avoir un peu plus d'argent de poche...

Autre piste à explorer pour apaiser les tensions des premiers temps: aider l'aîné à trouver ses propres soutiens et étayages, puisqu'il doit désormais apprendre à se passer en partie de ceux de ses parents. Il ne s'agit pas de lui affirmer: «Tu es grand, débrouille-toi donc tout seul», mais au contraire de l'accompagner sur le chemin valorisant de l'autonomie. «Tiens, aujourd'hui, tu vas prendre ton biberon tout seul. Pour l'instant, je te fais encore chauffer l'eau, mais bientôt, tu seras même capable de le préparer tout seul. Le bébé, lui, ne sait rien faire de tout ça, il est bien trop petit!», pouvez-vous lui dire.

Si l'arrivée du petit frère ou de la petite sœur est douloureuse, peut même être ressentie comme un effondrement par le premier, elle n'est absolument pas insurmontable. À condition qu'il puisse exprimer son désarroi et sa haine. Il doit avoir le droit de formuler clairement et sans culpabilité qu'il n'aime pas ce bébé, que c'était mieux avant l'arrivée de cet intrus qui lui a tant pris.

À un moment ou un autre, il est fort probable que l'aîné cherchera à attirer l'attention de ses parents sur lui. Et le chemin le plus facile sera d'accumuler les bêtises, y compris de s'attaquer physiquement au nourrisson ! Il vous appartient alors de ne pas le laisser tomber dans cet engrenage : plus il transgressera les interdits, plus il se sentira « mauvais » et « méchant » – davantage encore si on le lui répète d'ailleurs ! Il se dira alors immanquablement qu'on ne va plus l'aimer et le chérir autant que le « nouveau » qui est tellement mignon et gentil. Que de souffrance en perspective… Essayez plutôt de lui accorder suffisamment d'attention pour qu'il ne soit pas tenté de vous la ravir de force. Votre entourage peut vous aider : pendant quelque temps, les grands-parents, les oncles et tantes peuvent redoubler d'intérêt pour le plus grand si vous êtes vraiment trop pris par le nouveau-né.

▒ Éternel second

Pour celui qui arrive en second, la situation n'est pas forcément plus simple. Dans un premier temps, il est vrai que le bébé ne se rend pas compte de grand-chose : il profite pleinement d'être l'objet de toutes les attentions et ne remarque pas tout de suite les réticences du frère ou de la sœur qui était là avant! Mais très vite, avant même d'avoir soufflé sa première bougie, il prend toute la mesure de l'hostilité de cet aîné. Alors qu'il rêve de partager les jeux de ce «grand» qu'il admire et de l'imiter en tout point, il est souvent impitoyablement rejeté, remis à sa place de «petit» qui ne connaît rien de la vie, ne sait rien faire. Du coup, il peut ressentir son aîné comme un bloc indéboulonnable, un «empêcheur» de grandir, une limite à son plein épanouissement, un barrage à la réalisation de ses désirs. Être sans cesse rabaissé et repoussé n'a en effet rien de très agréable et n'est pas très porteur pour évoluer!

Ce rejet par le «grand» ne manquera pas de faire émerger des questions cruciales dans la tête du «petit», alors en pleine construction identitaire. Qui suis-je dans cette famille, quelle place ai-je le droit d'occuper, y a-t-il d'ailleurs une place pour moi? Pour s'en assurer et se rassurer, il sera bien souvent tenté de pousser son grand frère ou sa grande sœur dans ses retranchements, de le provoquer – par exemple en essayant de lui chaparder des jeux fragiles auxquels il tient plus que tout et qu'il n'a évidemment pas le droit de toucher. Une façon notamment de pouvoir constater la réaction des parents. Prennent-ils sa défense, lui ménagent-ils une place?

Les deuxièmes sont d'ailleurs assez souvent experts en «manipulation» parentale, même si ce mot n'est pas vraiment approprié dans la mesure où nous sommes ici le plus souvent dans le domaine des actes inconscients. Se sentant trop faibles pour résister seuls à la pression des aînés, ils cherchent à s'adjoindre l'aide des parents. Nous avons tous été témoins du petit qui chipe le jouet du grand et vient pleurnicher dans les jupes de maman parce qu'il s'est pris un coup! Un élément important à prendre en compte quand on essaye d'y voir plus clair dans le scénario d'une dispute, même si, bien sûr, cela ne se passe pas systématiquement ainsi.

Il s'agira donc là encore pour les parents de trouver la bonne distance: ménager un territoire au plus petit qui peinera peut-être à le dessiner tout seul face au «règne» du plus grand; mais ne pas devenir en même temps des pions dans le jeu que mène le plus jeune pour déboulonner à tout prix son aîné. Un équilibre à trouver et auquel on doit rester particulièrement attentif. On verra plus loin que si l'on se retrouve à faire constamment «alliance» avec le même enfant, cela dénote certainement un dysfonctionnement familial...

■ Regards croisés

Si l'aîné considère le puîné comme un traître venu lui ravir sa place, le «petit» voit dans le «grand» une sorte de dictateur qu'il faut faire tomber de son piédestal d'une manière ou d'une autre pour pouvoir avancer. L'un est dans une logique de défense de ses acquis et de son territoire, l'autre plutôt dans le contournement et l'éviction. Mais tous deux ont en commun de voir dans leur frère ou leur sœur, à certains moments, un véritable ennemi. Notons au passage que cette inimitié prend une acuité toute particulière dans les fratries de même sexe. Entre deux filles ou deux garçons, les vraies comparaisons sont possibles et donc les rivalités plus dures...

Au grand dam des parents, cette détestation que frères et sœurs se vouent mutuellement a tendance à s'auto-entretenir. Par quel mécanisme? L'un et l'autre sentent bien que ce frère ou cette sœur fait jaillir en eux des sentiments peu avouables, violents, négatifs, agressifs. Ils n'ont d'ailleurs qu'à entendre leurs parents se plaindre d'eux, de leurs disputes, de leur méchanceté entre eux pour se convaincre qu'ils ne sont pas très fréquentables! L'un et l'autre se voient dans le regard du frère ou de la sœur comme dans un miroir sans complaisance qui leur renvoie une image peu valorisante, mauvaise même. Dès lors, fraterniser avec ce frère ou cette sœur qui lève le voile sur des aspects de personnalité, qu'on aimerait mieux laisser enfouis au fond de soi, paraît bien difficile. Cela reviendrait à accepter cette part peu noble de soi. On préfère donc rejeter en bloc ce côté sombre et par la même occasion le frère ou la sœur qui le met en lumière. On nie cet aîné ou ce puîné parce qu'il nous menace.

Il est très important de comprendre, que contrairement à ce que l'on pense souvent, un enfant ne se construit pas seulement dans le regard de ses parents. Le regard réciproque des frères et sœurs entre eux est tout à fait essentiel. Si le jugement d'un frère ou d'une sœur est froid, sans merci, sans excuse, il a en parallèle le mérite d'être plutôt objectif : il stigmatise le mauvais, comme le bon. D'où cette fameuse ambivalence du lien fraternel... Dans les yeux de mon frère ou de ma sœur, je me vois « mauvais » mais je me vois aussi très semblable à lui ou à elle, puisque ayant la même histoire familiale. Rien de tel pour créer une fabuleuse complicité – on y reviendra dans le chapitre suivant. Or, quand la haine se mêle à l'amour, on sait bien à quel point les rapports deviennent inextricables. Et l'on saisit toute la complexité du lien qui unit nos enfants.

Quel peut être le rôle des parents, face à une telle intri-cation ? Il pourra s'agir d'aider chaque enfant à inté-grer les aspects négatifs de sa personnalité, afin de pouvoir vivre avec. S'il se sent accepté dans sa globa-lité, il sera moins tenté de se défouler sur son frère ou sa sœur, principal témoin de ses mauvais côtés. Le meilleur moyen qu'il n'en rajoute pas dans son rôle de «méchant», c'est justement de lui laisser jouer cette partition-là aussi. Et de ne surtout pas l'obliger à être un enfant modèle, toujours aimable, gentil, mesuré. Il a le droit de faire parfois la tête, d'être grognon, agressif ou même en colère !

▓ Regain de rivalité à l'adolescence

À l'adolescence, il arrive souvent que les conflits entre frères et sœurs deviennent plus criants. Rien de très étonnant d'ailleurs dans une période de vie où tout est vécu de manière paroxystique ! Le travail psychique de l'adolescent consistant à se construire désormais en dehors de sa famille, à trouver sa propre voie, un frère ou une sœur plus jeune peut se sentir «lâché», aban-donné et en nourrir de la rancœur. Le spectacle de son aîné, aux prises avec tous les possibles qui s'offrent à lui et tous les doutes qui en découlent, peut également l'inquiéter, lui qui devra aussi en passer par là d'ici quelque temps. Il peut se protéger de cette inquiétude par une agressivité envers celui qui la provoque.

De son côté, l'aîné n'aura pas forcément envie que les plus jeunes se mêlent trop de ce qui lui arrive, car aucune expérience n'est plus intime que celle de l'adolescence. Chaque enfant, en fonction de son histoire, de sa position dans la fratrie, va vivre ce moment à sa façon, s'emparer d'une part de l'héritage familial et s'en servir de manière spécifique. L'adolescence ne peut être qu'une aventure solitaire, au sein de la famille. En cas de forte différence d'âge, l'adolescent aura peut-être du mal à assumer l'image de ses frères et sœurs plus jeunes, épanouis et bien dans leur peau, alors que lui doit subir les affres de la métamorphose et de la découverte d'un nouveau corps, souvent jugé disgracieux. Si les frères et sœurs sont au contraire proches en âge, les conflits n'en seront pas moindres. Il sera par exemple très douloureux pour l'un de constater que l'autre a déjà un petit copain ou une petite copine, alors que lui rencontre des difficultés sur le terrain de sa sexualité naissante.

Et puis il ne faut pas compter sur l'adolescence pour adoucir ces fameux regards croisés dont se gratifient frères et sœurs dans un jeu de miroir souvent cruel. Un frère ou une sœur ne sera pas le dernier à asséner à un ado, en quête d'un nouveau look, que sa coiffure ou ses vêtements sont ridicules. Ces jugements fraternels crus et acerbes seront particulièrement durs à «encaisser» à cette période de grande fragilité. Mais ils seront aussi porteurs et facteurs d'évolution d'ici peu, dès que l'adolescent aura acquis un peu de sécurité à l'extérieur de la famille pour les intégrer... sans se désintégrer!

Comment aider la fratrie à passer le cap de l'adolescence de l'un des siens, ou de plusieurs, sans trop de déchirements? En ne les dressant pas les uns contre les autres. C'est-à-dire en ne collant pas à l'ado l'étiquette «affreux, sale et méchant», par opposition aux «petits» tellement gentils puisque pas encore en phase de révolte. On peut aussi faire patienter les petits en les sensibilisant au long terme: bien sûr, leur grand frère ou leur grande sœur a tendance à les rejeter en ce moment. Mais dès que les plus grosses vagues de la tempête adolescente se seront calmées, il aura plaisir à les retrouver. Alors, patience!

▓ Familles nombreuses à l'abri de la jalousie?

Certaines configurations, comme les familles nombreuses, peuvent avoir un effet sur les rivalités fraternelles. Le fait que les enfants soient nombreux attise-t-il
ou atténue-t-il les bagarres? Si pour les deux premiers-
nés les choses se déroulent de manière semblable à
ce que nous avons décrit plus haut, il semble bien qu'à
partir de la naissance du troisième le schéma se modi-
fie radicalement.

Plus il y a d'enfants, plus le regard des parents et leurs
attentes sont «dilués», donc moins forts, c'est mathé-
matique! On assiste alors souvent à une prise de relais
par l'aîné qui peut être tenté de se substituer aux
parents. Résultat, certains enjeux qui auraient dû se
jouer entre les parents d'un côté et l'ensemble de la
fratrie de l'autre, se déplacent entre l'aîné et le reste
de la fratrie. Moins qu'un rival, l'aîné devient celui dont
on veut attirer l'attention, obtenir le soutien et la
reconnaissance, surtout dans les premières années. Il
apparaît moins comme un «ennemi à abattre» que
comme une personne à séduire et conquérir. D'où
peut-être un nombre moindre de conflits.

Autre spécificité de la famille nombreuse au sein de
laquelle l'individualité a forcément plus de mal à émer-

ger: les rivalités se passent plus rarement d'enfant à enfant et d'avantage de clan à clan – par exemple les petits contre les grands, mais d'autres géométries plus croisées peuvent aussi se faire jour. Cet «effet groupe», très protecteur, a souvent pour conséquence de rendre les oppositions plus feutrées et plus supportables. Mais en contrepartie, l'intégration dans un clan risque d'empêcher la personnalité de chacun de s'épanouir pleinement. D'une manière générale, les conflits ont sans doute moins le loisir d'exploser dans les familles nombreuses: le rythme de vie est rapide et complexe et les parents ont bien d'autres choses à faire que de gérer les disputes!

Là encore, on peut se demander quelle attitude adopter face à ce cas particulier. L'important est sans doute de veiller à ce que chaque enfant reste à sa place d'enfant. Bien sûr, il n'est pas interdit de s'appuyer sur l'aîné et les plus grands et de leur demander de l'aide pour gérer le quotidien. Mais attention tout de même à ne pas les installer dans un rôle parental, ce n'est pas le leur. En étant attentifs également à accorder à chaque membre de la fratrie du temps pour lui et rien que pour lui – même cinq minutes! –, on évitera que les phénomènes de clan se cristallisent trop et gomment les spécificités de chacun.

À chaque place, des enjeux différents?

Citons le cas du second d'une fratrie de trois qui occupe une position bien particulière, loin d'être évidente. On évoque souvent les alliances «mouvantes» pour parler de la difficulté de cette place: l'enfant du «milieu» fait partie soit du groupe des plus grands, soit des plus petits et a du mal à se situer dans un espace peu repérable, fluctuant en fonction des besoins des situations. Si cela rend ces enfants souples et adaptables, leur apprend à naviguer de manière malicieuse entre plusieurs eaux, ils peuvent aussi avoir du mal à cerner qui ils sont, et ce qu'ils désirent au plus profond d'eux-mêmes.

Mais les enfants du «milieu» doivent aussi faire face à des vécus contradictoires. Ils sont à la place de l'intrus pour leurs aînés, et le troisième va devenir intrus pour eux. Traître il est pour l'aîné, traître lui apparaît le dernier. «Faux frère» et trahi, cela fait beaucoup en même temps, et cela entraîne beaucoup de confusion émotionnelle. Car cette double expérience se superpose, s'impose tour à tour.

Et le petit dernier? Place bénie ou maudite? Pas facile non plus d'être le dernier d'une fratrie, surtout quand sonne l'heure de l'envol. On connaît en effet la difficulté de celui-ci à quitter le nid familial. Ce qui le retient, ce n'est pas seulement la peur d'affronter son autonomie, mais le fait de laisser ses parents seuls face à eux-mêmes. Il ressent beaucoup de loyauté à leur égard, car il mesure souvent à quel point sa mère, son père, le couple parental a besoin de lui ou croit avoir besoin de lui pour fonctionner.

▧ Familles recomposées, forcément la haine?

Les liens semi-fraternels propres aux familles recomposées sont probablement un peu plus compliqués que les relations «classiques» entre frères et sœurs, simplement parce qu'ils sont traversés d'enjeux qui les dépassent. Quand un bébé naît chez un papa divorcé et sa nouvelle femme, les enfants du premier lit doivent à la fois intégrer l'arrivée de ce demi-frère ou cette demi-sœur et en même temps faire le deuil du premier couple parental: si leur père a fait un bébé avec sa compagne, c'est qu'il ne reviendra plus avec leur maman comme ils pouvaient peut-être continuer de l'espérer. L'addition est lourde! Non seulement ce bébé va vivre à plein temps avec leur papa, alors qu'eux ne le voient qu'un week-end ou une semaine sur deux. Mais en plus, il symbolise de manière tout à fait claire la mort définitive de l'amour entre leurs parents. Cela n'empêche pas qu'ils vont peut-être l'aimer ce bout de chou, mais il leur faudra prendre sur eux !

Par ailleurs, la naissance de ce demi-frère ou sœur peut venir raviver des conflits au sein de la fratrie d'origine. Parfois, l'un des enfants accepte plus facilement le remariage du père et la fondation d'une nouvelle famille, pendant qu'un autre décide de rester loyal à sa mère demeurée seule et refuse donc en bloc belle-mère, demi-frère, etc. Le deuxième peut alors en vouloir férocement au premier qu'il juge comme un traître. Là encore, les tensions risquent d'être vives...

La meilleure façon de ne pas exacerber ce contexte fraternel électrique est d'essayer de ne pas mêler les enfants aux éventuelles querelles d'adultes. Évitons de dire devant eux du mal du père, de la mère, de l'«ex», de la belle-mère, du beau-père, etc. Plus ils seront tenus éloignés de toutes les inévitables complications liées à la recomposition, moins leurs relations fraternelles en souffriront.

L'essentiel

Pour l'aîné, l'arrivée d'un autre enfant est synonyme de perte de l'amour exclusif des parents. Il se sent attaqué dans les bases mêmes de sa sécurité intérieure et de son identité.

Pour le second, l'aîné apparaît comme un bloc indéboulonnable qui a tout fait avant lui et le gêne pour grandir tranquillement.

Dans les familles nombreuses, les rivalités sont souvent moins ouvertement exprimées, peut-être au détriment de l'individualité de chaque enfant.

Dans les familles recomposées, les enjeux fraternels sont complexifiés par les cicatrices qu'a laissées le divorce des parents.

Chapitre 3
De l'amour aussi

Bien souvent, on ne fait attention qu'aux disputes et pas aux moments de complicité que nos enfants partagent. Or ces périodes d'accalmie existent forcément et sont d'une grande richesse.

À force de focaliser notre attention sur leurs bagarres, on en arrive parfois à ne plus voir que nos enfants jouent de grands moments ensemble sans se frapper ni s'insulter! Évidemment, la bonne entente fait moins de bruit que le conflit et donc passe plus inaperçue. Dans toutes les familles, cette complicité entre frères et sœurs existe, à moins, – on le verra plus loin dans cet ouvrage – que les parents ne l'empêchent de s'épanouir par certaines maladresses...

Elle est d'ailleurs indispensable : un lien fraternel qui se cristalliserait dans l'opposition, sans aucune période de rémission, serait nocif. Outre que ces moments de complicité partagée sont le théâtre d'événements forts, enrichissants et constructifs pour chacun des membres de la fratrie – nous allons y revenir tout de suite –, ils peuvent aussi servir d'appui aux parents pour gérer les disputes au quotidien. Quand un de vos enfants écume de rage parce que son frère ou sa sœur l'a battu, floué, ou joué un sale tour, qu'il clame partout qu'il le hait et ne veut plus jamais en entendre parler, vous pouvez toujours utiliser un argument choc : « D'accord, tu détestes ton frère à cet instant précis, mais rappelle-toi hier comme vous avez joué et ri ensemble. C'était un bon moment, non ? Et il y en aura d'autres ! » Une phrase qui pourra sans doute contribuer à apaiser sa colère.

Sur la même marche générationnelle

Cette relation privilégiée au sein de la fratrie ne tarde pas à se mettre en place, dès le début de la vie. Il n'est pas rare qu'un nourrisson offre son premier éclat de rire à son grand frère ou sa grande sœur plutôt qu'à ses parents. Et quand un bout de chou commence à parler, c'est souvent son aîné qui comprend le mieux ses onomatopées et joue les traducteurs auprès de papa et maman.

D'emblée, il existe donc quelque chose entre les frères et sœurs qui échappe aux parents, un lien très fort qui les unit, une communication gestuelle particulière dont eux seuls connaissent l'alphabet. Ce langage commun qui s'installe spontanément est ineffaçable : il pourra « redémarrer » à n'importe quel moment de l'existence entre des frères et sœurs, en dépit du temps qui a passé, même si les choix de vie de chacun sont très éloignés. Ainsi, les parties de fous rires que l'on partageait, enfants, en se moquant de la boulangère qui avait un cheveu sur la langue, pourront reprendre trente ans plus tard avec le même entrain entre des frères et sœurs devenus adultes et se remémorant le bon vieux temps !

Que les parents ne comptent pas être associés aux messes basses de leurs enfants : leur progéniture saura vite leur faire comprendre qu'ils ne sont pas désirables ! Ces relations fraternelles complices se construisent en effet de manière très horizontale et souvent contre les parents. On peut même parler d'un véritable « sous-système fraternel » au sein de la famille, avec son langage, ses codes, ses petits secrets non accessibles aux adultes. Une manière pour les enfants de s'installer clairement sur leur propre marche générationnelle, bien différente de celle de leurs géniteurs.

Il ne faut pas voir cette initiative de démarcation des frères et sœurs par rapport aux parents comme une agression. C'est au contraire une réaction tout à fait saine et structurante : la famille ne peut fonctionner que si les différences entre les générations sont bien posées. Comment faire preuve d'autorité à l'égard des enfants, s'ils n'occupent pas une marche «en dessous» ? Par ailleurs, pour les enfants, s'ancrer dans leur groupe générationnel est très rassurant : ils ne sont plus seuls dans l'histoire familiale, plus seuls face aux adultes. Quand ils ont un conflit à gérer avec eux, ils se sentent plus forts entourés de la fratrie ! La complicité rend solidaire et même généreux. On voit souvent un frère ou une sœur sauver la mise de son aîné ou de son cadet auprès des parents en couvrant une de ses bêtises. La fois suivante, l'autre lui rend la pareille. Une bonne manière d'apprendre l'entraide et la réciprocité.

▓ Un laboratoire relationnel

Ce groupe de frères et sœurs offre aussi l'immense avantage de tester un certain nombre de comportements. Un aîné peut ainsi vérifier jusqu'où va la fascination qu'il exerce sur son puîné, voir jusqu'où il peut le dominer, même le manipuler. Un enfant qui envoie son petit frère ou sa petite sœur faire des bêtises à sa place, au risque qu'il (elle) soit puni(e), est dans cette logique-là. Quelle satisfaction de constater qu'on peut «téléguider» un autre être, qui pendant un temps ne se révolte pas! Quel sentiment de puissance et de pouvoir on en tire. Pour arriver à ses fins et convaincre son cadet de lui obéir, l'apprenti manipulateur pourra utiliser toute la palette des sentiments, passer de la séduction à la brutalité, ou encore feindre la fragilité pour l'attendrir. Quelle attitude est la plus efficace, dans quelles circonstances, pour quel type de but recherché? Il ne manquera pas d'en tirer toutes les conclusions possibles et donc d'enrichir ses connaissances en termes de relations humaines.

D'une manière générale, frères et sœurs apprennent entre eux la stratégie des relations. Très vite, ils décodent les chaînes d'interactions qui existent au sein de la famille: j'énerve mon frère, maman réagit en nous grondant, je l'accuse de m'avoir battu, il est puni. Efficace, non? Une fois bien rodé, ce schéma sera maintes fois utilisé, souvent sans même que les parents ne le décodent! Bien sûr, pour que ce laboratoire relationnel soit efficace, il faut que chacun des membres de la fratrie puisse à tour de rôle y mener ses propres expériences, que chacun puisse en tirer des leçons. Si les schémas expérimentés sont toujours les mêmes, et surtout toujours à l'avantage du même enfant, on ne peut plus parler de complicité, encore moins de solidarité : ils ne peuvent fonctionner à sens unique. Il serait par exemple dangereux que ce soit toujours l'aîné qui «utilise» les plus jeunes, ou les plus jeunes qui se débrouillent pour faire systématiquement punir le plus grand. Tant qu'il y a de la souplesse, que les rôles restent interchangeables, ces expérimentations sont positives.

Très souvent, les frères et sœurs se débrouillent parfaitement entre eux pour équilibrer le «casting», ne pas se laisser enfermer dans des rôles ingrats et occuper chacun son tour le premier rôle. Tôt ou tard, vient un moment où celui qui était toujours dominé se révolte, tape du poing sur la table et s'essaye à jouer les dominants. Mais dans le cas contraire, si cette autorégulation n'a pas lieu, les parents ne doivent pas hésiter à intervenir pour mettre des limites à la toute-puissance que l'un s'octroie aux dépens des autres. Non, une sœur n'a pas à «servir» son frère pour obtenir le droit de jouer avec son train électrique, même si elle peut bien sûr lui rendre service de temps en temps. Non, un même enfant n'est pas toujours «innocent» et l'autre forcément «coupable» dans le déclenchement d'une bagarre. Sans intervenir

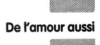

systématiquement dans les jeux de rôles qui se déroulent au sein de la fratrie, il est donc recommandé de les observer de loin pour vérifier que chacun des bambins occupe bien tous les emplois à des moments différents.

▨ À quoi on joue?

Durant ces plages de complicité, les jeux ont évidemment une place centrale. Il faut ici entendre le jeu au sens où le célèbre psychanalyste Winnicott le présentait: un espace entre les frères et sœurs où chacun vient avec son «bagage», sa réalité personnelle et dans lequel ils vont créer ensemble quelque chose de nouveau. Cet espace coconstruit n'appartiendra ni à l'un ni à l'autre mais bien à la fratrie en tant que groupe. Ainsi, on comprend bien que le jeu entre frères et sœurs n'est pas que ludique et récréatif, il est avant tout un lieu de création.

Mais que peuvent donc bien créer des frères et des sœurs, quand ils jouent à la maîtresse d'école ou à la guerre? Ils imaginent une manière de vivre autrement les enjeux fraternels, de les déplacer, de les dédramatiser. On s'en rend très bien compte quand on se penche sur la symbolique de certains «grands classiques». Les jeux de guerre («alors on serait des ennemis»), de pouvoir («je serais la maîtresse et toi mon élève»), d'imitation («papa, il s'occuperait de la grande fille pendant que maman s'occuperait du bébé»), leur permettent de mettre en scène certaines expériences passées parfois douloureuses, de les revivre avec plus de distance et de se réparer au passage. À travers et grâce au jeu, ils essayent de mieux comprendre la haine qu'ils ressentent parfois les uns pour les autres, le comportement des parents à leur encontre qu'ils ne trouvent pas toujours juste. Bref, ils passent au crible bien des enjeux et questions que pose la fratrie de manière très symbolique, au moyen de petites pièces de théâtre ou psychodrames que sont les parties de jeu.

Par la même occasion, à travers ces scénarios de jeux soi-disant fictifs, on envoie des messages à son frère ou sa sœur : tu vois comme j'ai vécu cet événement, comme ça a été compliqué pour moi. De son côté, le frère ou la sœur fera de même, et ensemble ils écriront une page de l'histoire familiale à plusieurs mains. De toutes leurs versions, ils n'en feront qu'une ! Quel plus beau ciment pour une complicité à long terme ? Quel meilleur moyen de «guérir» que de lécher ses plaies ensemble ?

Au chapitre des jeux, n'oublions pas non plus l'imaginaire : ces histoires, ces personnages fantastiques que frères et sœurs sont capables d'inventer et qui n'appartiennent qu'à eux. Voilà encore un moyen de renforcer leur groupe et d'exclure les parents, de leur montrer qu'ils leur échappent parfois... Alors laissons-les jouer tranquilles, même si très souvent ces parenthèses bénies où l'on entend une mouche voler dans leur chambre se terminent par une bonne bataille rangée. Ennemis tout autant qu'amis, telle est l'implacable loi fraternelle!

Fraternité au long cours

À vrai dire, il n'est sans doute pas très approprié d'utiliser le mot «amis» pour qualifier des frères et sœurs. Car le lien fraternel contient une notion de permanence qu'on ne retrouve pas forcément en amitié. Un déménagement, un changement d'école peuvent largement suffire à réduire une amitié à néant. Alors que ces événements sont sans effet sur le lien fraternel: même s'il habite à dix mille kilomètres, un frère demeure un frère, sorti du même ventre ou tout au moins issu de la même histoire familiale, de la même appartenance.
Ce sentiment de permanence est également établi par le fait que les frères et sœurs sont forcément les témoins

des grands événements de l'enfance. Quand il y a divorce par exemple, les frères et sœurs sont la preuve vivante que le couple parental a bien existé. On ne trouvera cette réassurance sur ses origines nulle part ailleurs qu'auprès d'un frère ou d'une sœur, qu'on l'aime ou pas, qu'on s'entende bien avec ou pas. Malgré les différences, malgré les rivalités, il y a dans chaque frère ou chaque sœur une part qui nous ressemble, semblable à nous. On parle parfois de «mêmeté» pour décrire ce qui unit les membres d'une fratrie.

Cette permanence du lien fraternel envers et contre tous les aléas de la vie, cette longévité, fait que ce lien va souvent être une ressource tout au long de l'existence, particulièrement dans les périodes difficiles. L'adolescence en est une. Dans le chapitre précédent, on a constaté que les rivalités entre frères et sœurs pouvaient se radicaliser à cette étape charnière de la vie. Il n'est d'ailleurs pas rare que des brouilles nouées à cette époque ne se dénouent plus jamais! Mais à l'inverse, l'adolescence peut être l'occasion de se tourner vers un frère ou une sœur pour obtenir avec bonheur aide et soutien. Le frère ou la sœur peut être celui sur lequel on va s'appuyer pour gagner son autonomie; il peut être un relais rassurant à mi-chemin entre les parents et les copains pour conquérir son indépendance.

Cette complicité est souvent d'autant plus forte que deux frères et sœurs sont proches en âge. Celui qui a pris un peu d'avance sur l'autre dans ce processus complexe de l'adolescence pourra alors servir de guide, d'éclaireur avisé au plus jeune. Quand une ado doit se rendre pour la première fois chez le gynécologue, c'est sûrement à sa grande sœur qu'elle demandera comment va se dérouler la visite, plus qu'à sa mère! D'où d'interminables discussions et fous rires sous la couette. Et puis à deux, ils se sentiront tellement plus forts pour négocier des heures de sortie en boîte de nuit! À l'adolescence, on peut donc assister à des rapprochements étonnants entre des frères et sœurs devenus complices alors qu'ils étaient comme chiens et chats quand ils étaient petits.

À l'âge adulte

D'autres réconciliations inattendues entre des frères ennemis peuvent avoir lieu plus tard dans la vie, par exemple à la mort d'un des parents. Si quelquefois, l'héritage constitue un passage bien périlleux pour la fratrie, une occasion de régler des comptes et des contentieux anciens, on constate aussi que le décès des parents peut atténuer certaines tensions. Tous les enjeux de rivalité qui s'étaient liés autour de ce père ou cette mère n'ont plus lieu d'être, la relation peut reprendre, enfin sereine. Lors de ces retrouvailles, chacun racontera peut-être la façon dont il a vécu certains événements familiaux du passé. L'autre les verra ainsi éclairés sous un jour différent, pourra mettre d'autres mots sur ce qu'il avait toujours pris pour des préférences et des injustices. Frères et sœurs pourront alors réécrire ensemble une histoire apaisée, un peu comme quand ils étaient petits, lors de leurs jeux.

Heureusement, sans qu'il soit besoin qu'un des parents décède, la redécouverte d'un frère ou d'une sœur à l'âge adulte est toujours possible ! Mais cela ne pourra se faire qu'à certaines conditions, notamment celle d'une certaine prise de distance par rapport aux parents et au giron familial. Plus on a réalisé et réussi sa vie professionnelle, affective, familiale, à l'extérieur, moins on a besoin d'être reconnu par ses parents. Du coup, les rivalités fraternelles sont beaucoup moins féroces. Et même si l'on regarde discrètement le jour de Noël les cadeaux qui ont été faits aux frères et sœurs, histoire de comparer avec ceux que l'on a reçus soi-même, cela se passe désormais sans douleur, sans rancœur. Avec peut-être même un petit clin d'œil affectueux pour celui qui a été le plus gâté, comme chaque année, depuis toujours. Comme quoi, il n'est jamais trop tard pour devenir complice avec son frère ou sa sœur!

L'essentiel

▧ Dans la plupart des familles, on observe un «sous-système» fraternel: le groupe des frères et sœurs, avec son langage et ses codes bien à lui. Une façon pour les enfants de marquer leur différence générationnelle avec les parents.

▧ Le groupe des frères et sœurs est un laboratoire relationnel où chacun teste différents comportements avec les autres. Les parents doivent veiller à ce que chacun y trouve son compte.

▧ La complicité fraternelle passe beaucoup par le jeu. C'est un moyen de mettre en scène les conflits de manière symbolique pour mieux les dépasser.

▧ La longévité du lien fraternel permet des retrouvailles à tous les âges de la vie.

Chapitre 4
Côté parents... quand parle l'inconscient

**Si la rivalité existe d'emblée au sein de la fratrie,
elle est souvent attisée par l'attitude inconsciente
des parents. L'admettre aidera à désamorcer
une partie des bagarres.**

Il est une chose dont nous sommes bien persuadés: ne faire aucune différence entre nos enfants. «Nous les aimons exactement pareil!», proclamons-nous en toute bonne foi. Prenons le temps de nous interroger sur ce genre d'affirmation... et nous aurons vite fait d'en constater les limites. Comment aimer «pareil» des enfants qui sont forcément très différents? Ce serait absurde!
En fait, nous voulons simplement dire que nous ne préférons pas l'un par rapport à l'autre. Là encore, est-ce complètement vrai? N'avons-nous pas plus d'affinités

avec l'aîné qu'avec le petit, avec la fille qu'avec le garçon ? N'avons-nous pas tendance à donner plus souvent raison à l'un et tort à l'autre, quand éclate une dispute ? Si nous répondons par l'affirmative à ces interrogations, pas de panique. Cela ne veut absolument pas dire que nous sommes des parents indignes ! L'impartialité parentale absolue n'est pas de ce monde, mieux vaut le savoir. Mais il s'agit quand même d'une sonnette d'alarme à entendre...

Plutôt que de se morfondre dans la culpabilité, il est plus intéressant d'essayer de comprendre ce qui nous pousse, à notre insu ou presque, à des inégalités de traitement au sein de la fratrie. Ou, sans aller jusque-là, on voudrait bien savoir pourquoi on se sent plus proche d'un de nos enfants. Ou, au contraire, pourquoi celui-là nous irrite plus que ses frères et sœurs. Oser se poser franchement ces questions sera le meilleur moyen d'éviter que ces différences parfaitement naturelles ne se transforment en véritables préférences.

Cela permettra aussi peut-être d'éviter un autre écueil. Par exemple, il n'est pas rare que certains parents, sentant bien qu'ils ont une préférence envers un enfant, s'en défendent en se mettant à être plus exigeants envers lui. « J'ai toujours rêvé d'avoir une fille. Quand ma fille est née après mes trois garçons,

comme j'avais peur de lui donner une place de prin-
cesse, je ne lui laissais rien passer», raconte ainsi cette
maman. Alors qu'elle était en réalité adulée par sa
mère, la fillette était cependant celle qui subissait le
plus son autoritarisme.

Bien sûr, se poser des questions ne veut pas dire qu'on
trouvera forcément les réponses, ou même qu'on
acceptera de les regarder en face. Surtout dans un
domaine où l'inconscient est roi! Il n'empêche, réfléchir le plus objectivement possible aux rapports que
vous entretenez avec chacun de vos enfants ne pourra
que vous faire du bien et peut-être même vous aidera
à neutraliser quelques bombes! Vous êtes prêts à vous
lancer dans cette démarche mais ne savez pas où
chercher ni par où commencer? Voici quelques pistes
qui pourront vous guider dans votre réflexion. Car si
chaque famille a son mode de fonctionnement bien
à elle, on retrouve chez toutes quelques grandes
constantes susceptibles d'expliquer pourquoi chaque
enfant éveille en nous des sentiments très particuliers.

▓ Ce qu'il me dit de mon histoire

Un enfant n'arrive pas en terrain vierge. Il est l'un des maillons d'une longue histoire familiale dont vous aussi, ses parents, faites partie. «Embarqué» sur le même bateau que vous, il est donc inévitable que ce petit être vous renvoie non seulement à votre passé mais aussi à ce que vous êtes devenus aujourd'hui. Chacun de vos enfants vous interpellera d'ailleurs de manière bien spécifique dans la mesure où il ne fait pas irruption au même moment dans vos parcours personnels.

Prenons un exemple tout simple. Un aîné vient au monde alors que sa maman est en pleine réussite professionnelle, heureuse et épanouie. À l'époque où le second bébé fait son entrée en scène, elle décide de s'arrêter de travailler pour se consacrer à sa famille, mais ne tarde pas à regretter sa décision qu'elle assume mal. Il est possible qu'elle associe inconsciemment son deuxième enfant à cette période de déprime, même lui en veuille. Sa relation avec lui en sera altérée.

Autre cas de figure que l'on peut rencontrer: l'un des enfants présente un trait de caractère en commun avec l'un de ses parents, il est par exemple très timide.

Cette ressemblance peut les rapprocher («le pauvre, il vit le même calvaire que moi!»), ou au contraire aboutir à un rejet. Incapable d'assumer pour lui-même ce qu'il considère comme un handicap, le père ou la mère ne supporte pas de retrouver cette timidité maladive chez son fils ou sa fille. Il sera alors plus proche d'un autre de ses enfants, plus sûr de lui et de son image, parce qu'il incarne ce qu'il a toujours rêvé d'être.

On observe également très souvent des affinités qui s'organisent autour de l'identité sexuée. Tel papa se reconnaîtra plus facilement dans son fils qui le rassure dans sa virilité, alors qu'il se sentira plus décontenancé par la féminité de sa petite fille. Mais le contraire est tout aussi possible: la féminité de sa fillette pourra le toucher et lui permettre d'exprimer la part féminine qu'il a en lui, alors que le côté brutal de son garçon le gênera.

Bien sûr, nos enfants nous renvoient aussi à notre propre enfance, à nos relations avec nos frères et sœurs et nos parents. Il arrive souvent qu'on se sente très attiré par celui de nos enfants qui occupe le même rang que nous dans la fratrie. Telle maman, deuxième d'une famille de deux enfants, ayant souffert du «culte» que sa mère vouait à son frère aîné, sera peut-être plus sensible aux états d'âme de son deuxième enfant. Elle-même n'ayant jamais été entendue dans sa souffrance d'être la moins aimée des deux, quand elle était petite, veillera tout particulièrement à protéger son deuxième, l'installant dans un statut de privilégié. Mais elle pourra tout aussi bien reproduire l'attitude de sa mère et préférer ostensiblement son aîné, dans l'espoir inconscient d'être enfin reconnue par sa maman en l'imitant. Bref, dans un cas comme dans l'autre, le poids du passé amènera à un déséquilibre certain.

Soyons donc particulièrement attentifs à ces vécus fraternels de notre petite enfance, car ils ont une forte tendance à se transmettre de génération en génération. Faute de briser le cercle de la reproduction nous risquerions de la léguer en héritage à nos propres enfants, quand eux-mêmes deviendront parents. Dommage de fabriquer ainsi des dynasties de «préférés» et donc aussi de «vilains petits canards»…

▓ Ce qu'il me dit de mon couple

Chaque enfant arrive aussi à un moment différent de l'histoire du couple, et il n'est pas rare que sa naissance le place d'emblée dans une fonction implicite par rapport à ses parents : le premier serait par exemple le «fruit» de l'amour, le symbole de l'union heureuse de son père et de sa mère ; et le... troisième, celui qui pourrait peut-être les sauver d'une débâcle de plus en plus évidente.

La relation que l'on construit avec ses enfants est en effet très souvent marquée par celle que l'on entretient avec son conjoint. Par exemple, en période d'euphorie amoureuse, tel petit garçon sera adulé par sa maman parce qu'il ressemble trait pour trait au papa tant aimé, alors que la petite sœur sera peut-être vécue comme une éventuelle rivale. Que le couple aille mal et cette configuration sera totalement chamboulée, le petit garçon étant alors rejeté. D'enfant choyé, il devient indésirable, sans que rien dans son comportement n'ait changé. Comment pourrait-il comprendre ce qui lui arrive ? Une telle incohérence est d'une grande violence. Violence souterraine et sourde que l'enfant subit sans pouvoir y répondre directement, mais il peut être tenté de l'agir à son tour.

Soit contre un autre : frère, sœur, copain, instituteur, parent, etc., soit contre lui-même. On le prendra pour un enfant agressif, alors même que c'est lui qui aura d'abord été agressé au plus profond de son être.

C'est surtout en cas de conflit dans le couple, ou de rancœur larvée que les projections inconscientes sur les enfants sont les plus fortes. Exemple : une maman est dominée par son mari et le vit mal. Elle pourra laisser sa petite fille se faire systématiquement maltraiter par son frère, leur imposant à tous les deux la reproduction de ce qu'elle vit dans son couple. Avec en toile de fond, la transmission d'un message très clair : «Eh oui ! Décidément c'est toujours pareil, les femmes sont soumises, les hommes sont des salauds !» Ne pouvant pas changer elle-même une croyance qui se transmet peut-être depuis des générations, elle y enferme aussi sa fille malgré elle, tout en souffrant. Mais elle pourra aussi prendre le contre-pied de cette affirmation et utiliser sa fille pour se venger de la gent masculine dans son ensemble, par procuration. Elle la soutiendra donc sans aucune objectivité dans les bagarres qui l'opposeront à son frère, condamnant celui-ci sans appel au rôle de méchant.

En cas de divorce, les préférences vis-à-vis des enfants sont encore plus outrées. Un homme ou une femme peut subitement se mettre à ne plus supporter un enfant qui ressemble trop à son «ex». Cet importun pourra alors être «récupéré» par l'autre parent qui en fera son otage, lui imposant de choisir son camp. Chaque parent en guerre contre l'ex-conjoint, aura ainsi «son» enfant à lui, son allié, son pion. Ces métaphores belliqueuses peuvent paraître excessives, pourtant elles ne reflètent qu'une petite partie de la violence à laquelle les enfants sont parfois soumis dans de telles circonstances. On imagine que dans ce genre de contexte, ils aimeraient autant n'être les préférés de personne…

Gare aux évidences !

Assez schématiquement, on pense souvent que le préféré occupe la meilleure place. Tandis que les moins aimés de la fratrie seraient des sacrifiés. En réalité, c'est loin d'être aussi simple… Il est vrai que le «chouchou», comme on le nomme parfois péjorativement, reçoit beaucoup de son parent adulateur. Résultat, il a souvent une bonne image de lui, le sentiment qu'il a mérité d'être ainsi porté au pinacle. Cette confiance en lui pourra l'amener à réaliser de grandes choses. D'autant plus que ses parents auront certainement fait d'ambitieux projets pour lui, qui pourront agir comme un puissant moteur.

Mais la contrepartie n'est pas négligeable! Les trop fortes attentes de ses parents pourront aussi se révéler étouffantes et paralysantes. Trop habitué à ce que tout lui soit dû, le «chouchou» pourra manquer d'autonomie et d'esprit d'initiative. Le profil du préféré n'est donc pas forcément celui du «battant» à qui tout réussit.

Les autres enfants, les «moins aimés», souffrent bien sûr de ne pas être les «élus». Qu'ont-ils de moins que le «chouchou»? Qu'ont-ils fait de mal? Le plus difficile pour eux est justement de ne pas comprendre les raisons du choix de leurs parents. Mais comment le pourraient-ils alors que tout se joue au niveau inconscient! Ils se sentent souvent indignes d'être aimés, constamment en position de faiblesse, autant de poids qui pourront parfois être lourds à porter dans leur vie ultérieure. Signalons que la situation est particulièrement difficile à vivre dans les fratries de deux enfants: celui qui n'a pas eu la chance d'être l'«élu» n'a personne avec qui faire alliance, pas de frères et sœurs avec qui partager sa souffrance et sa rancœur. Il est seul face à une injustice criante.

Mais on ne saurait non plus ignorer le côté parfois positif de la position de «non-préféré». L'enfant qui a eu le sentiment d'être moins regardé que son frère ou sa sœur n'aura de cesse d'obtenir cette reconnaissance ailleurs. Cela pourra constituer un formidable levier pour se réaliser à l'extérieur de la famille. Il aura peut-être moins de mal que le «chouchou» à prendre son envol et quitter ses parents parce qu'il sera moins dans une relation de dépendance.

Comme quoi il est bien difficile de faire des prévisions et d'imaginer ce que sera l'avenir d'un enfant en fonction de la manière plus ou moins juste dont il a été aimé par ses parents. Tout dépendra en fait de la capacité de chacun à se dégager de la position dans laquelle il a été installé enfant par son père et sa mère. Celui qui acceptera de rester éternellement le préféré – c'est-à-dire le «parfait» pour les parents, le «méchant» pour les frères et sœurs – court le risque de supporter toute sa vie une identité qui n'est pas vraiment la sienne. Même chose pour le «mal-aimé» qui n'oserait pas faire voler en éclats son image de «mouton noir» aux yeux des parents et de «faible» pour le reste de la fratrie.

Même si les préférences ne gâchent pas forcément la vie des enfants et ne sont pas obligatoirement dramatiques, elles les marquent tout de même d'un certain sceau qui ne sera pas toujours facile à effacer...

Elles introduisent une difficulté supplémentaire avec laquelle doivent compter aussi bien le préféré que celui qui ne l'est pas.

Des relations brouillées

Les complications ne se posent pas uniquement au niveau individuel mais très largement aussi au sein de la fratrie. L'attitude inégalitaire des parents ne peut en effet que brouiller les relations et induire des «stratégies» de la part des uns et des autres, peu enclines à favoriser la bonne entente.

Prenons d'abord le favori. Fort de sa position privilégiée, il va tenter par tous les moyens de la maintenir. On le comprend, vu les avantages qu'il en tire! Il pourra aller jusqu'à mentir pour faire accuser ses frères et sœurs de tous les maux par les parents et renforcer son hégémonie. Une situation qui peut concourir à développer des traits de caractère peu agréables, telle la manipulation, la duplicité...

En même temps, il est bien conscient d'avoir reçu plus que les autres et il en nourrit de la culpabilité. Un sentiment qui pourra d'ailleurs l'accompagner longtemps dans sa vie. Des années plus tard, il sera peut-être encore dans la logique d'essayer de rendre à tout prix à ses frères et sœurs la part d'amour parental qu'il leur a «dérobée» – sans y être pour rien d'ailleurs. Il n'est pas rare qu'à l'âge adulte ce soit le préféré qui s'évertue à organiser des réunions de famille pour maintenir coûte que coûte les liens.

Au quotidien, le «chouchou» doit aussi supporter la hargne de ses frères et sœurs, souvent liguées contre lui, qui le jalousent et sont animés d'un fort sentiment d'injustice. Bien souvent, il ne réussira pas ou n'acceptera pas d'entendre la souffrance qui se cache derrière leur comportement agressif. Il pourra même être tenté, tout particulièrement à l'adolescence, de radicaliser les rapports: «Vous me détestez, mais je vous le rends bien et je vous le prouve.» Réaction qui l'isolera d'autant plus et le rendra encore plus malheureux.

Et les enfants non préférés? Comment tirent-ils leur épingle du jeu au sein de la fratrie? Souvent en développant une attitude de méfiance vis-à-vis du «chouchou». Jusqu'où peut-on être complice avec lui? Ne va-t-il pas tout répéter aux parents dont il est l'allié? Dans quel «camp» est-il après tout, ce «fayot»? Ainsi, les relations horizontales qui se tissent habituellement dans une fratrie, faites d'une certaine connivence entre frères et sœurs et d'une certaine opposition aux parents, ne peuvent se mettre en place de façon naturelle. Elles sont toujours plus ou moins parasitées par l'interventionnisme ambigu des parents.

Dommage... Car on l'a bien compris, c'est l'alternance entre les moments de détestation et ceux d'amour-complicité qui fait que le lien fraternel est supportable. Sans la haine, le fraternel peut être perdition car il peut rimer avec fusion et enfermement. Mais sans l'amour, il devient cruel et dévastateur. Si la complicité ne peut émerger, empêchée par les préférences des parents, frères et sœurs risquent malheureusement de se cantonner à un seul aspect, pas le plus facile à vivre, de leurs relations.

▧ Refuser la mise en accusation

D'où l'importance de prendre le temps, et surtout d'avoir le courage de passer au crible nos comportements vis-à-vis de nos enfants. Mais faut-il pour autant se fier aux récriminations de nos chérubins? Combien de fois nous lancent-ils à la figure: «De toute façon, tu préfères Margot», ou bien: «Évidemment, Léo, il a tout ce qu'il veut, lui.» Un moyen très efficace de toucher nos points sensibles et d'en jouer.

Quand nos enfants nous interpellent de la sorte, il est bien sûr important de les entendre – cela cache peut-être quelque chose – sans pour autant trop en faire ! Inutile de leur donner un pouvoir exagéré en leur montrant qu'ils nous font vaciller. Ils seraient alors très embarrassés ! On se dispensera par exemple de prendre un air contrit et d'entamer une justification : « Mais pas du tout, mon chéri, c'est complètement faux, tu te trompes ! » Mieux vaut expliquer clairement sa position : « J'essaye d'être le plus juste possible avec vous. Peut-être que tu ne le ressens pas ainsi, en tout cas c'est mon objectif. » Rien n'empêche pour autant de revenir sur cette apostrophe un peu plus tard, mais cette fois-ci entre adultes. Pourquoi ne pas demander à son conjoint ou bien à des amis proches s'ils ont remarqué chez vous des préférences systématiques en faveur d'un de vos enfants ? En général, quand on se laisse « happer » par son inconscient au point d'être vraiment inégalitaire, c'est assez visible de l'extérieur. Évidemment, cela suppose que l'on soit capable d'entendre une réponse pas forcément agréable et qu'on accepte d'en faire quelque chose. Voilà qui est loin d'être évident, malgré toute la bonne volonté du monde...

Mais c'est ce qui permet à chaque parent de continuer à grandir et à évoluer. Car en prenant conscience de tout de ce que l'on tente – à notre insu – de régler de nous et de notre histoire à travers les enfants, on se donne les moyens de dépasser certains de nos blocages. Et aussi de mettre en œuvre les changements personnels qui vont nous permettre de nous libérer quelque peu du poids d'une histoire familiale ou conjugale qui pèse encore et transpire dans notre relation aux enfants.

L'aventure parentale devient passionnante quand elle aide les parents à grandir eux-mêmes, c'est-à-dire à prendre de nouvelles positions, plus libres, plus justes avec eux-mêmes, par rapport aux différentes constellations familiales.

L'essentiel

Même si on est tout à fait sûrs d'aimer nos enfants de la même manière, nous avons avec eux des comportements différents, guidés par l'inconscient.

Il est absolument normal de se sentir plus proches de l'un ou l'autre enfant, car chacun d'eux nous renvoie à un moment spécifique de notre parcours personnel, à un aspect de notre enfance, au contenu de la relation avec notre conjoint.

▓ Essayer d'en prendre conscience peut aider à éviter que notre préférence et notre soutien aillent systématiquement au même enfant.

▓ Les préférences parentales, quand elles sont trop outrées, sont lourdes de conséquences (aussi bien pour le préféré que pour les autres enfants). Elles empêchent également que des relations harmonieuses règnent au sein de la fratrie.

Chapitre 5
Éloge de la dispute

Même si elles sont éprouvantes, les disputes entre frères et sœurs sont indispensables. C'est au prix de ces conflits que chacun des enfants trouve sa place et se construit.

On se passerait bien d'entendre les hurlements de nos bambins en train de s'arracher les cheveux, de se rouer de coups de pied ou de se couvrir d'insultes ! Il n'est pas toujours évident de supporter sans craquer le volume sonore engendré par leurs disputes. C'est tellement plus agréable quand ils jouent tranquillement ensemble ou que chacun vaque à ses occupations dans un coin de la maison… Et pourtant, leurs chamailleries servent une bonne cause ! Non seulement elles sont à peu près inévitables mais se révèlent très utiles.

Un appel au changement

Les disputes ont souvent «une fonction», un sens. Bien sûr, cela échappe aux enfants eux-mêmes, sinon ils l'exprimeraient autrement. Elles parlent surtout d'une situation douloureuse – soit à l'intérieur de la famille, soit à l'extérieur (avec les copains, les copines, sur le plan de la scolarité). Elles sont quelquefois le seul moyen que l'enfant puisse trouver pour faire entendre sa souffrance, son malaise. Aux adultes de décoder cela pour ne pas laisser les enfants s'y enfermer et pour qu'ils trouvent d'autres modes d'expression de ce qui ne va pas. En fait, les disputes ne concernent pas seulement les acteurs en présence, le frère et la sœur qui s'étripent sous vos yeux, elles sont la résultante d'autres jeux relationnels et engagent des enjeux qui parfois peuvent dépasser les enfants, tout en les y impliquant.

Plutôt que d'être tentés de les regarder comme le combat d'un méchant contre un gentil, tentons de discerner ce qui dans les relations que vivent les enfants les amène à prendre ces rôles, et aidons-les à en sortir. Car même s'il peut exister des tendances à la bagarre chez un bambin, celles-ci sont attisées par le contexte, et c'est ce contexte-là qu'il faut aussi interroger.

En les analysant de cette manière, on peut se donner aussi plus de chances de faire évoluer les situations : il est plus facile de changer une relation, c'est-à-dire la manière dont deux personnes interagissent, que de changer l'une ou l'autre personne. Car on fait appel aux ressources non pas seulement d'un individu, mais de tout un groupe.

Bref, les disputes constituent presque toujours un appel au changement. Pour les enfants, mais aussi quelquefois pour quelqu'un d'autre dans la famille dont ils ressentent la fragilité ou la souffrance, et qu'ils se sont donné comme mission implicite, et impossible, de sauver, de protéger.

La demande de changements pour eux-mêmes tourne souvent autour d'un appel de reconnaissance parentale. Cela résonne dans la tête d'un enfant, comme : mais regardez ce que je suis capable de faire, regardez-moi un peu, enfin. J'existe, aidez-moi à montrer aussi mes bons côtés.

Le plus cruel dans les bagarres, c'est qu'elles engagent tout le monde dans une spirale négative : l'enfant qui voudrait être admiré, se fait détester – au moins quelques secondes. Le parent qui voudrait aimer ses enfants se surprend à ne plus les supporter.

▒ Une bataille pour la place

Ce qui se passe pendant les règlements de comptes entre frères et sœurs est donc loin d'être anodin. À travers le scénario de la dispute, les coups ou les mots durs échangés, se joue une véritable bataille où chacun défend sa place ou tente d'en revendiquer une autre. Prenons l'exemple d'un enfant pas très doué à l'école, dont la sœur aînée est au contraire abonnée aux notes de «première de la classe». En lui volant dans les plumes et en la dominant par l'usage de sa force physique, il ne se conduit pas simplement en grosse brute épaisse ! Il cherche aussi à montrer qu'il n'accepte plus d'être réduit à la place de cancre qu'on lui attribue à la maison, que ses parents se trompent quand ils le regardent ainsi et seulement ainsi. Il est capable d'autre chose, notamment d'avoir le dessus sur sa sœur pourtant si intelligente !

Autre cas de figure : les familles recomposées. Beaucoup des disputes tournent autour de la place que chacun des frères et sœurs – ceux de la première fratrie et ceux nés de la deuxième union – occupe au sein de cette géométrie compliquée. Quand un enfant tape son demi-frère ou sa demi-sœur plus jeune, son propos est assez lisible : j'étais là avant lui, il n'a qu'à se soumettre, le vrai couple, c'était celui de mes parents, semble-t-il dire.

Pour un enfant, la place – physique – qu'on lui accorde est un indicateur de l'importance qu'il a pour ses parents, de la place qu'il a dans leur cœur. Si, lorsqu'il vient le week-end chez son père, il n'a qu'un espace réduit, et temporaire, il se demandera s'il compte pour celui-ci. Il en souffrira d'autant plus si le fils ou fille de l'amoureuse de papa a un espace conséquent, permanent et donc enviable. Il pourra se demander de manière angoissée s'il existe pour son père quand il n'est plus là dans la semaine. L'enfant a besoin d'être rassuré sur sa continuité existentielle, et l'espace qu'on lui attribue dans une maison est un signe qu'il ne faut pas négliger. Inquiet, il ne se privera pas de se disputer : au moins, même si c'est de manière négative, il sait que vous continuerez à penser à lui et à tout ce qu'il a inventé pour bousculer l'ordre que vous avez tant à cœur d'instituer !

Un enfant peut aussi défendre une autre place que la sienne. Il peut souhaiter mettre en échec l'harmonie que le parent veut constituer dans la nouvelle famille, peut-être par loyauté envers l'autre parent. Participer à une famille «heureuse» serait vécu comme une trahison envers le parent seul qui n'a pas encore refait sa vie. Entretenir des disputes serait un rappel de la souffrance du parent «abandonné», un moyen de lui rendre justice et de dire qu'on n'oublie pas sa détresse puisqu'on l'importe là, dans la constellation qui tente de se constituer. Les disputes entretenues seraient alors un moyen pour l'enfant de faire entendre la place du parent oublié.

Quelle que soit la forme de la famille, recomposée ou «classique», trouver la bonne place dans la fratrie est toujours une tache complexe et subtile. Un enfant subit de multiples pressions pour se positionner, de la part des parents, grands-parents, et bien sûr des frères et sœurs. Ainsi, il arrive souvent qu'un bambin renonce à occuper une certaine place alors qu'elle lui conviendrait parfaitement, simplement parce qu'elle est déjà occupée par un autre. Prenons l'exemple de deux sœurs: l'une peut se refuser à être élégante et soignée, même si elle en a envie, parce que son aînée monopolise l'emploi de «coquette» dans la famille. Mais n'en pouvant plus de cette frustration, elle multipliera les occasions de disputes avec sa rivale pour essayer de changer de statut.

Écoutez-nous!

Certes, la bagarre est un outil un peu sommaire mais qui a pour fonction essentielle d'attirer le regard des parents, de leur transmettre un message. Elle n'a rien d'intime, elle est au contraire faite pour être vue des parents ou pour leur être racontée. Nous connaissons tous les interminables récits de disputes, où chacun des protagonistes veut faire entendre sa voix et sa version. «Maman, il m'a tiré les cheveux!», «Oui mais c'est elle qui avait commencé!»: des dialogues de sourds aux accents tellement familiers! Finalement, une dispute entre frères et sœurs ressemble étonnamment à une crise dans un couple: c'est une façon de tout mettre à plat, une occasion pour chacun de renégocier son rôle.

En ce cas pourquoi les conflits sont-ils si fréquents? Chacun des frères et sœurs pourrait se faire sa place au «soleil» une bonne fois pour toutes, lors d'une belle bataille rangée! Ce serait trop simple... Car rien n'est plus mouvant que la vie des bambins, que ce soit sur le plan du contexte extérieur (crèche, nounou, école, copains, etc.) ou de la vie affective intérieure: tout évolue en permanence. Or, une fratrie fonctionnant comme un jeu de Meccano, si une pièce bouge, tout le monde bouge avec. D'où la nécessité d'opérer des réajustements périodiques entre frères et sœurs.

Où l'on voit qu'une bagarre est avant tout un événement dynamique. Sauf, bien sûr, quand elle se transforme en impasse parce que l'un des frères et sœurs a systématiquement le dessus tandis que l'autre se fait toujours «piler». On s'intéressera à la manière d'éviter cet écueil dans le chapitre suivant, grâce à une intervention dosée et réfléchie des parents.

▩ Des strates emmêlées

Même si c'est souvent le cas, la dispute ne concerne pas toujours la place de chaque enfant au sein de la fratrie. Elle peut être un moyen de mettre l'accent sur un dysfonctionnement à l'intérieur de la famille ou du couple des parents. On assiste alors à un déplacement : tel enfant, en faisant céder son petit frère par la force sur la possession d'un jouet par exemple, veut ainsi montrer à ses parents qu'ils s'y prennent mal avec ce petit dernier. Qu'ils s'inspirent donc de sa méthode à lui, certes un peu expéditive, mais efficace ! Ou bien telle petite fille, en agressant son grand frère, cherche à montrer à sa mère que les femmes n'ont pas forcément à se laisser dominer par les hommes. Qu'elle réagisse! À travers leurs bagarres, les petits malins veulent donner des leçons à leurs géniteurs!

Quelquefois aussi, les disputes ne sont qu'un moyen que les enfants – finalement de connivence – mettent en œuvre pour tenter d'exercer une fonction dans le couple. Soit ils se disputent pour «faire tenir le couple parental»: leur père et mère sont tellement accaparés par leur comportement insupportable qu'ils font face ensemble et en oublient... pour un temps leurs propres différends. Ou bien scénario opposé, ils peuvent mettre de l'huile sur le feu et attiser des conflits paren-taux, ce qui peut leur faire espérer une meilleure place au soleil. Inciter les parents à déterrer la hache de guerre, rien de plus facile! Les enfants, bien plus perspicaces qu'on ne le suppose, ont bien perçu les failles et fragilités du couple. Par exemple, ils ont par-faitement compris que papa et maman ont des repré-sentations différentes, voire des attentes opposées par rapport à ce que devraient être les relations fra-ternelles. Alors pour embêter papa, fils unique qui ne veut pas entendre les insultes voler, ils vont s'arranger pour en rajouter une bonne couche. Ceci, ils le savent, a pour effet immédiat de le mettre en colère contre maman, beaucoup plus détendue. Et pour cause, elle est issue d'une famille de quatre enfants et raconte avec délices les batailles rangées et les parties de polochons de son enfance. Les enfants connaissent les limites de tolérance de chacun des parents et n'hésitent pas à user de ce savoir.

En fait, il n'est pas toujours facile de décoder ce qui se passe exactement derrière une dispute tant d'éléments divers peuvent s'y conjuguer. Pour compliquer le tout, la dimension transgénérationnelle s'en mêle parfois! Il peut en effet arriver que des bagarres entre frères et sœurs renvoient à un conflit très ancien, par exemple un partage des biens familiaux mal négocié au sein d'une fratrie, trois générations plus tôt. Sans s'en rendre compte, parce que les rancœurs et déceptions se sont transmises inconsciemment de parents à enfants, depuis de trop nombreuses années, les frères et sœurs de la dernière génération vont tenter de réparer cette injustice, de restaurer celui qui a été lésé. Comme dans une pièce de théâtre, l'un occupera le rôle de la victime lors des disputes, tandis que les autres frères et sœurs endosseront celui de «méchants».

En effet, il y a parfois une transmission transgénérationnelle implicite de «missions». Tant que la souffrance de l'injustice première n'aura pas été dépassée, les différentes générations peuvent se passer inconsciemment le message que «décidément, les frères et sœurs ne peuvent rien faire d'autre que de se détester!». Il ne vous reste plus qu'à décider de vous libérer de ces poids familiaux, en trahissant ces missions et en inventant d'autres relations fraternelles entre vos enfants. Ce faisant, vous ferez d'une pierre deux coups: vous vous allégerez d'une partie de l'histoire familiale qui manifestement ne vous concernait pas, et vous permettrez à vos enfants d'innover.

Des disputes pour se construire

L'immense mérite d'une dispute est aussi de permettre aux forces en présence de se mesurer et pourquoi pas de se révéler mutuellement. L'agresseur pourra par exemple être mis en difficulté alors qu'il était persuadé de «remporter le morceau» sans souci! Une excellente occasion pour lui d'être confronté à ses limites et de réaliser qu'il n'est pas tout-puissant.

Quant à l'agressé, alors qu'il se croyait faible et sans ressources, il constatera peut-être qu'il a vaillamment résisté, qu'il est donc apte à se défendre. Et il y a fort à parier qu'il ne manquera pas d'utiliser ce savoir dans la cour de récréation! Tout le monde peut gagner en termes de connaissance de soi et de confiance en soi. À condition, là encore, que le vainqueur et le vaincu ne soient pas systématiquement les mêmes à chaque «épisode» conflictuel. Cette dimension de découverte de soi que comporte la dispute est particulièrement intéressante. On a trop souvent tendance à croire qu'on ne progresse qu'à travers l'amour et les bons sentiments. Mais non! On peut avancer à pas de géant dans la construction de son identité en partant de la haine de l'autre, en jouant de ce sentiment à priori négatif, en utilisant ce regard non bienveillant.

Autre intérêt de la querelle et non des moindres : tester la «solidité» des parents. Si papa et maman survivent à nos innombrables disputes et qu'ils continuent à nous aimer en prime, c'est vraiment qu'ils sont solides, se disent nos chérubins (évidemment sans le formuler aussi consciemment)! Quoi de plus rassurant pour grandir en toute sérénité que de pouvoir s'appuyer sur des parents qui ne se laissent pas ébranler par le moindre coup de vent ?

Si de surcroît ils savent trouver les bons mots lors d'une bagarre un peu soutenue, intervenir à bon escient, protéger l'un sans l'assister, faire reculer l'autre sans l'humilier, ils donnent une superbe leçon de vie à leur progéniture. Elle tient en quelques mots : il existe toujours une issue intelligente et négociée à tout conflit pour peu qu'on s'en donne la peine et qu'on respecte toutes les parties en présence.

Au passage, voilà un grand mystère du curieux fonctionnement fraternel ici dévoilé. Si nos enfants se battent beaucoup moins chez les autres que chez nous, c'est justement parce qu'ils ont besoin de nous pour mettre en scène leurs querelles: nous, leurs parents, sommes à la fois des acteurs à part entière, le public principal et les destinataires!

Le droit à la bagarre!

Pour toutes ces raisons, il n'y a pas lieu de s'inquiéter quand nos enfants se querellent: ce faisant, ils avancent et la famille dans son ensemble évolue. Leur refuser le droit de se disputer les pénaliserait à de nombreux niveaux. Privés de ce passage à l'acte très physique que constitue une dispute – il est bien rare qu'il n'y ait pas quelques coups échangés, au moins quelques frictions lors d'une querelle, même entre filles! –, ils seraient condamnés à ne pouvoir exprimer leurs revendications par le biais du corps. Or, vivre dans leur corps les grands conflits qui les animent est essentiel pour des enfants.

Sinon, ils risquent de prendre l'habitude de refouler leurs émotions. Dommage...

Et puis, surtout, sans la dispute, il ne leur resterait guère d'autres moyens pour accéder à la place à laquelle ils aspirent ou, au minimum, pour faire connaître leur désir d'y parvenir. Comment un enfant peut-il avoir une chance de se montrer différent de l'image qu'on lui a collée à la peau, de sortir de la «case» que sa famille lui a assignée, s'il n'est pas autorisé à faire quelques remous?

Or, dans certaines familles, les bagarres sont réprimées, la parole et les sentiments totalement inhibés. Pas forcément de manière explicite et formelle. Très souvent, ce sont les bambins eux-mêmes qui ne s'autorisent pas les disputes entre frères et sœurs: ils sentent que cela ferait trop de mal à leurs parents, que ces derniers sont trop fragiles pour supporter de telles attaques, que la famille risquerait d'éclater. Alors ils s'autocensurent. Dangereuse dérive qui peut, hélas, conduire les enfants à retourner contre eux-mêmes la haine fraternelle qu'ils n'ont pas le droit d'exprimer...

Quand les disputes ne sont pas possibles, un enfant oscille souvent entre deux attitudes. Chercher à faire taire absolument les pulsions agressives qu'il ne peut manquer d'éprouver pour ses frères et sœurs, se contraindre à se montrer toujours gentil avec eux. Un parti pris qui dévore toute son énergie! Ou bien, à l'opposé, transgresser ouvertement l'interdit familial – on pourrait même dire le tabou – en s'occupant essentiellement à provoquer autant de bagarres qu'il peut. Là encore, le psychisme est largement mobilisé par cette tâche et donc indisponible pour d'autres découvertes...

Mais il ne faudrait pas passer sous silence les familles – fort rares, il est vrai! – où frères et sœurs s'entendent comme larrons en foire et ne se disputent jamais. Si cette absence de bagarres fraternelles n'est pas le résultat d'une répression de la parole et des sentiments, si les mots circulent librement et les affects s'expriment sans censure, alors bravo aux parents! Ils ont réussi à faire en sorte que les différences de chaque enfant soient entendues, que les forces et faiblesses de chacun soient reconnues. Celui dont les résultats scolaires ne sont pas excellents n'a pas besoin de s'en prendre à sa sœur pour exister, puisqu'il est déjà largement valorisé par sa force physique et ses compétences sportives, par exemple. Les demi-frères et sœurs n'ont pas besoin de s'écharper puisque chacun est suffisamment rassuré par l'attitude de ses parents sur sa pleine appartenance à la famille recomposée.

Alors, même si les disputes fatiguent et font du bruit, laissons-leur libre cours... tout en nous autorisant à intervenir pour que soient respectés quelques grands équilibres. Ce sera l'objet du chapitre suivant.

L'essentiel

▉ Chaque dispute est une minicrise durant laquelle chacun des frères et sœurs se bat pour se faire une place dans la fratrie et se dessiner un rôle qui lui convienne.

▉ Les conflits fraternels sont autant de messages envoyés aux parents par les enfants pour être reconnus dans leur différence, pour les alerter sur un mauvais fonctionnement dans le couple ou au sein de la fratrie.

▉ Les bagarres permettent aussi de mieux se connaître, de savoir de quoi on est capable. C'est un excellent moyen de vérifier que les parents sont assez solides pour supporter ces petites tempêtes.

▉ Empêcher des frères et sœurs de se disputer, c'est les forcer à inhiber leurs émotions négatives. Avec tous les risques que comporte le refoulement...

Chapitre 6
Osez intervenir !

Trop souvent, on se garde de se mêler des disputes de nos enfants. Or, ils ont besoin de notre intervention pour ne pas s'enfermer dans leurs querelles, ne pas s'y abîmer et pouvoir en tirer profit.

▨ Intervenir, pour innover

Admettre l'importance des disputes, ce n'est pas accepter de s'y soumettre *ad vitam aeternam*. N'oublions pas que le lien fraternel est constructif s'il offre les deux pôles, rivalité et amour. Et le rôle actif des parents vers une meilleure entente se joue aussi sur ces deux niveaux : s'ils attisent inconsciemment les jalousies, ils peuvent aussi très largement susciter des vocations pour créer l'entente cordiale. Quand les enfants comprennent qu'ils ont tout à gagner sur le plan relationnel, en montrant leurs bons côtés plutôt que leurs mauvais, ils n'hésiteront pas à se calmer... un peu. Mais les pères et les mères doivent aussi accepter de découvrir la tendresse de celui qui se donnait des airs de caïd, ou la malice de celui qu'on prenait pour un petit ange. En accédant à cette représentation nuancée de leurs enfants, ils permettront de faire évoluer leurs comportements. Cela demande des interventions claires et tangibles de la part des adultes.

Intervenir pour permettre à la fratrie d'inventer d'autres modes de relation, voilà qui donne aux parents une place active et innovante, aussi bien dans la vie de leurs enfants que dans leur propre existence. Cela mobilise des ressources encore inexplorées, à la fois chez les enfants, les adultes, et plus largement dans la constellation familiale.

Ces ressources peuvent finalement se déployer bien plus rapidement qu'on ne le pense, car les changements se tissent au fur et à mesure, à travers des actes et des comportements apparemment bénins mais qui ont un sens relationnel profond. Sans que cela soit nécessairement spectaculaire, on s'aperçoit de manière étonnante et étonnée que, petit à petit, il y a moins de cris dans la maison, plus de moments joyeux et paisibles. Un changement, même ténu, appelle un autre changement, alors ne vous découragez pas.

Pour relever ce défi, il est important de se laisser surprendre et de ne pas craindre des rechutes qui quelquefois ne sont qu'une étape, ou un palier pour mieux rebondir ensuite. De toutes les manières, les acquis ne seront pas perdus, les parents peuvent d'ailleurs les rappeler : «Mais dites donc, les enfants, la semaine dernière vous vous êtes bien entendus, c'est que vous en êtes tout à fait capables!» Les relations fraternelles se lisent à travers la durée.

N'hésitez pas non plus à connoter positivement les bons moments, il n'est pas toujours utile de ne mentionner que les mauvais. Les enfants ont besoin de savoir que vous avez remarqué leur moindre progrès.

Quand intervenir ?

Le credo du non-interventionnisme a la vie dure! Beaucoup de parents appliquent à la lettre l'idée très répandue selon laquelle ils n'ont rien à faire dans les bagarres de leurs enfants. «Il faut les laisser se débrouiller entre eux, ce sont des histoires de gamins», proclament-ils, répétant d'ailleurs fidèlement les consignes données à longueur de magazines. Et si c'était une croyance erronée? Et s'il fallait au contraire opter pour une certaine ingérence dans les affaires fraternelles ?

Certes, il ne s'agit pas d'intervenir systématiquement et dans la seconde quand se déclenche une dispute. On l'a vu, lors de ce minipsychodrame, frères et sœurs se révèlent des choses essentielles sur leur place respective : il faut leur laisser le temps d'exprimer tout ce qu'ils ont à dire, de s'écouter les uns les autres, de se mesurer entre eux. Ils ont alors besoin d'être seuls, sans la présence dérangeante des adultes. Faute de quoi, on gommerait l'une des fonctions essentielles de la dispute consistant à réguler les rivalités.

En revanche, il est des circonstances où l'on ne peut faire l'économie d'une intervention. Lesquelles ? Elles sont très précises. Quand il y a violence physique au point qu'un des enfants court le risque d'être blessé ou d'avoir très mal. Quand l'agression verbale dépasse le niveau des gros mots «d'usage» habituellement utilisés entre frères et sœurs et qu'il y a véritablement humiliation, dépréciation, attaque contre l'identité. Et, surtout, quand on repère que le scénario de la dispute est identique de jour en jour : un des membres de la fratrie, toujours le même, sort toutes les fois perdant et battu.

 Au risque de la non-intervention

Avant d'évoquer la manière la moins maladroite possible d'intervenir dans un conflit opposant nos enfants, intéressons-nous d'abord à ce qui se cache derrière le refus de s'en mêler. Car ne nous leurrons pas, le non-interventionnisme pur et dur n'existe évidemment pas. Ne rien faire, c'est faire quand même! En ne levant pas le petit doigt pour rétablir l'équilibre et éviter qu'un de nos enfants soit systématiquement dominé, on entérine sa position de victime, et par la même occasion celle de dominant du vainqueur. Rappelons-nous les pages précédentes *(voir chapitre 4)*: notre inconscient est probablement en train de nous encourager dans cette attitude de «laisser-faire», qui, comme par hasard, avantage toujours le même enfant et défavorise systématiquement l'autre ou les autres…

Attention! Les conséquences de la non-intervention ne sont pas anodines, mieux vaut le savoir. Elles peuvent laisser des traces durant des années et même encore à l'âge adulte. Face à des parents qui regardent de loin leurs disputes, frères et sœurs risquent de s'installer dans des rôles qui ne leur conviennent pas et de devoir les assumer très longtemps.

Arrêtez de vous disputer !

Prenant le silence parental pour une approbation tacite, l'agresseur se sentira autorisé à agir de la sorte. Dominant avec ses frères et sœurs, il sera sans doute dominant avec ses copains, ses connaissances, plus tard avec ses collègues de travail, et même dans ses relations amoureuses. Il cherchera avant tout à capter l'autre, à avoir de l'emprise sur lui, à rester le plus fort. Une position de toute-puissance qui demande beaucoup d'énergie quand on est occupé à la maintenir coûte que coûte. Une orientation qui isole et fragilise aussi énormément : un «caïd» ne se fait pas réconforter, ne montre pas ses émotions et les réprime. Dangereuse pente, car si une minuscule faille vient un jour à s'ouvrir dans cette carapace, la menace d'une hémorragie et d'un effondrement n'est pas à écarter... De son côté, privé du soutien de son père et de sa mère, animé par un fort sentiment d'abandon, l'agressé se croira condamné à jouer les soumis éternellement. Il intégrera une image très effacée de lui-même à laquelle il se cantonnera dans de nombreuses circonstances de sa vie et aura souvent beaucoup de mal à se faire respecter. N'osant pas en vouloir directement à ses parents de ne pas l'aider, il en détestera d'autant plus le frère ou la sœur qui fait peser sa loi sur lui, ou bien retournera sa haine contre lui-même. Une tendance autopunitive qui se traduit souvent par une inhibition scolaire : ne pouvant se reconnaître comme un «bon objet», l'enfant soumis s'interdit la réussite.

Arrêt sur image

Malheureusement, aucun des deux n'osera sortir de ces rôles stéréotypés, puisque les parents les cautionnent par leur silence (le fameux «Qui ne dit mot consent» est ici particulièrement adapté). Si lors d'une bagarre le soumis se rebellait ou si le dominant se laissait damer le pion, ils auraient tous deux l'impression de trahir les attentes parentales. Du coup, ces enfants n'exploitent pas toutes les facettes de leur personnalité, toutes les richesses de leur identité. Ils restent «bloqués» sur un seul aspect, celui que le père et la mère encouragent en se gardant bien d'intervenir dans leurs bagarres.

On peut observer que cette politique du non-interventionnisme est souvent très présente dans les familles recomposées. Quand un conflit met face à face des demi-frères et sœurs, le beau-père ou la belle-mère a tendance à tourner sept fois sa langue dans sa bouche avant de s'en mêler ! L'enfant de son conjoint aura par exemple beau jeu de lui lancer: «Évidemment, tu donnes toujours raison à ton fils (ou ta fille)!» Le parent ne sera pas plus «courageux» car pas davantage à l'aise. Ses enfants pourront lui reprocher, au choix, de privilégier ceux de la première union ou ceux issus de l'amour du moment. Des accusations fort déstabilisantes, propres à décourager toute velléité d'ingérence! Dans des contextes aussi explosifs, où les enjeux et loyautés les dépassent largement, on peut comprendre que les parents soient tentés d'opter pour un profil bas et de laisser les gamins se débrouiller entre eux...

Et pourtant, les enfants ont justement besoin qu'on ne les laisse pas seuls aux prises avec les instincts souvent très violents qui se déploient pendant une bagarre fraternelle. Si nous nous référons aux mythes ancestraux évoqués au début de cet ouvrage (*voir chapitre 1*), nous en tirerons là encore une leçon. Si Dieu le Père n'était pas intervenu suite à la bagarre fratricide qui opposa les deux fils d'Adam et Ève, s'il n'avait pas puni Caïn pour le meurtre de son frère Abel, le jeune meurtrier n'aurait pas pu «rebondir» et continuer sa vie, notamment en donnant le jour à une descendance artistique. La sanction divine a permis à Caïn de mesurer la gravité de son crime, de prendre conscience des limites inacceptables qu'il avait dépassées. Le crime reconnu et puni permet qu'il ne se reproduise pas. Grâce à l'intervention de Dieu – figure paternelle symbolique –, Caïn a pu se racheter et se réaliser dans une autre voie que le simple usage de sa supériorité physique : il a découvert une autre face de sa personnalité. Il a pu s'inscrire dans une attitude plus responsable vis-à-vis des autres. Notons au passage que cette rédemption n'a été possible que parce que Dieu a pris conscience et accepté de reconnaître la préférence qu'il avait pour Abel. Un exemple certainement à méditer...

En intervenant, on n'est donc pas des parents abusifs et intrusifs : on montre simplement à nos enfants qu'ils peuvent occuper d'autres rôles que ceux dans lesquels leurs disputes les enferment trop souvent. Car il faut aussi souligner une chose : nos bambins n'ont pas toujours besoin des pressions parentales pour s'installer dans un statut de «faible» ou de «battant». Cela peut parfaitement correspondre à leur caractère ou à des bénéfices qu'ils espèrent tirer d'un tel positionnement. Dans ce cas-là, à nous également de les aider à sortir de cette impasse.

▒ Les ados, un cas particulier

Avec les adolescents, la conduite à tenir est moins évidente. Tout d'abord pour une raison bassement matérielle: avec de grands gaillards qui vous dépassent d'une tête, on ne peut se mêler à la bagarre ni même tenter de les séparer! D'autant que ces querelles d'ados sont souvent très musclées: quand le plus jeune commence, par exemple, à être aussi costaud que l'aîné, il s'y joue une redistribution des rôles forte d'enjeux. D'une certaine manière, il faut que ce «renversement» des forces en présence ait lieu, que le «petit» accède à une nouvelle place, que le «grand» renonce à la sienne ou au moins accepte de la partager. Mieux vaut donc éviter d'intervenir dans cette partie qui se jouera plus facilement sans nous.

Chez les ados, on assiste aussi souvent à des disputes «sanglantes» sans que le moindre coup soit donné, juste par des échanges de petites phrases extrêmement violentes et désobligeantes: «Toi, la grosse, ferme-la!», «On t'a rien demandé, le boutonneux!», «T'as vu ta coiffure, on dirait que tu t'es trempé la tête dans les W-C!». Là encore, on est face à un passage obligé: frères et sœurs adolescents se projettent mutuellement leurs doutes, leurs pertes narcissiques.

L'autre est un miroir qu'on rejette mais qui en même temps aide à avancer. Même si c'est douloureux, il faut que ça se fasse. Lors des disputes d'ados, on pourra donc davantage se tenir à distance qu'avec des enfants plus jeunes, tout en restant bien sûr vigilants devant les excès. Ce seront bientôt des adultes et il est donc assez logique de commencer à les laisser se débrouiller seuls pour gérer leurs relations...

En revanche, rien n'empêche d'imposer un cadre minimum. On est ainsi en droit d'exiger que ces joutes verbales ne se déroulent pas durant le repas familial. Lors de ce moment privilégié, on peut légitimement réclamer une trêve ! Par ailleurs, il est préférable que ces disputes assez cruelles ne se déroulent pas devant témoins : l'humiliation sera moins forte.

Agir, oui, mais comment ?

Revenons aux plus petits, pour qui la nécessité d'intervenir ne fait pas de doute. Première étape indispensable et nécessaire quand le ton monte entre vos bambins ou que les coups pleuvent : dire «stop !». Ou, plus précisément, mettre un terme aux éventuelles dérives violentes, aussi bien physiques que verbales.

Arrêtez de vous disputer!

Vous êtes à l'autre bout de la maison et vous les entendez échanger dans leur chambre des insultes plus que grasses qui vous font presque rougir? Même si vous êtes fortement tentés de ne pas réagir puisque cela ne se déroule pas directement en votre présence, vous avez malgré tout entendu! Vous n'avez donc pas d'autre choix que de vous rendre auprès d'eux pour leur signifier que vous ne pouvez accepter qu'ils se parlent ainsi: «Je vois que vous êtes énervés et en colère l'un contre l'autre, mais je ne peux pas accepter ces mots, ils sont intolérables.» Il ne s'agira d'ailleurs pas forcément d'insultes. Les petites phrases particulièrement perfides, méchantes et dépréciatrices – dont les sœurs ont souvent le secret entre elles – seront autant à mettre à l'index que l'argot. À chaque famille bien sûr de définir ses propres limites en fonction de ses habitudes. Il n'y a pas une liste de mots ou d'expressions à bannir! C'est à chacun de voir ce qu'il peut tolérer ou non.

Objection! Cela ne servira à rien, pouvez-vous penser: dès la prochaine bagarre, ils utiliseront à nouveau le même vocabulaire, empreint de la même violence. Sans doute, mais en sachant pertinemment qu'ils transgressent une limite que vous avez clairement posée. Une façon plus qu'éloquente d'appeler votre intervention, votre arbitrage. Au moins, les choses seront claires et ils auront ainsi moins l'angoisse de se laisser déborder : en quelque sorte, ils pourront se disputer en toute tranquillité d'esprit sachant que vous êtes là pour garantir le respect des règles du jeu et éviter les dérapages !

Si les coups sont de la partie, une séparation au sens physique s'impose, si besoin en saisissant les jeunes bagarreurs par les épaules. Il importe alors de renvoyer chacun dans son territoire : sa chambre s'il en a une ou bien son coin à lui (son lit, son bureau, etc.). Dans cet espace personnel qu'il a certainement fortement investi, où il cache peut-être ses petits secrets, il retrouvera une assise, des ressources pour s'apaiser. Lors d'une bagarre et même en dehors, il faut impérativement veiller à ce que ces lieux ne soient en aucun cas violés ni attaqués : on pourrait les comparer à des sanctuaires car d'une certaine manière ils sont une partie du psychisme de chaque enfant de la fratrie, même s'ils se résument à un tiroir. Il appartient aux parents d'en faire respecter l'intégrité par les frères et sœurs.

Le temps des mots

Vous les avez séparés et chacun se calme dans son coin. Vient maintenant le temps des mots, du dialogue.

Arrêtez de vous disputer !

Une étape essentielle dans la mesure où la parole limite toujours le recours à la violence. Il s'agit pour vous d'aider vos enfants à réfléchir sur ce qui vient de se passer, à élaborer cette dispute, à lui donner un sens. Attention, vous n'êtes pas dans le rôle du juge qui va prendre parti. La plupart du temps, c'est d'ailleurs impossible : vous êtes rarement là quand la bagarre a commencé et donc incapables de savoir si l'un a tort et l'autre raison.

Vous endosserez plutôt la peau d'un médiateur qui écoutera tour à tour la version de chacun, veillera à ce que toutes les parties puissent s'exprimer, essayera de faire comprendre à chacun des deux bagarreurs ce que l'autre cherche à lui dire : «Il t'a volé ton jouet, alors tu l'as frappé. Mais, à ton avis, pourquoi il a fait ça ?» On pose des questions, on lance des ponts entre les deux.

Voilà pourquoi il est important que ce «débriefing» après une querelle se fasse en présence des deux protagonistes. Cela évitera que les enfants aient l'impression qu'on parle dans leur dos, ce qui serait radical pour jeter de l'huile sur le feu et relancer le conflit ! Et surtout, pour dialoguer, il faut être deux. Faut-il parler tout de suite après la bataille ou plus tard ? Tout dépend des enfants. Pour certains, il faut attendre qu'ils aient retrouvé leur calme : trop en colère, ils ne sont pas accessibles aux mots. On reviendra donc sur l'incident d'ici quelques heures ou le lendemain, dans un moment plus propice. Pour d'autres, c'est au contraire dans le feu de l'action qu'il faut parler. Prenons par exemple les timides, les inhibés: mis hors d'eux par la bagarre, ils peuvent enfin faire sortir leur colère, leur rancœur, «vider leur sac». Il faut absolument profiter de ce moment «à chaud», sinon, la vanne se refermera sans que rien ne soit sorti, sans que rien n'ait été dit. La dispute aura été vaine.

Si vraiment on est face à un bambin qui ne réussit pas à parler, on peut utiliser d'autres voies de communication: par exemple le dessin. Surtout pas de panique s'il dessine un personnage «éclaté» en mille morceaux! Il solde les comptes qu'il n'a pu clore pendant la dispute, il va – sur un plan symbolique, et non en acte – au bout de ses pulsions destructrices pour s'en libérer... jusqu'à la prochaine fois!

Cette démarche de médiateur demande de grandes capacités de patience et d'écoute. Car derrière les explications souvent embrouillées des deux bambins, il y a aussi et surtout les messages qu'ils envoient aux parents. Soyons capables d'entendre ce qu'ils ont à nous dire sur notre position par rapport à eux, sur la manière dont la famille fonctionne. Soyons prêts à les rejoindre là où ils veulent nous emmener, jusque dans leur souffrance, jusque dans leurs accusations. Pas évident... Mais si l'on demande à nos enfants de s'entendre entre eux, il faut auparavant qu'ils soient entendus au sens fort du terme, dans ce qu'ils pensent et vivent au plus profond d'eux-mêmes.

Famille recomposée ou nombreuse : mode d'emploi

Certaines géographies familiales rendent l'intervention parentale un peu délicate lors des disputes fraternelles. C'est très évident dans le cas des familles recomposées, on l'a vu. Pourtant, cela ne signifie absolument pas qu'il faille renoncer, au contraire même. Si l'on s'interdit de se mêler des affaires des demi-frères et sœurs, sous prétexte que certains sont les enfants du conjoint et pas les nôtres, qu'on a peur d'avantager les nôtres et d'aggraver le conflit, on court le risque que nos beaux-enfants ne nous reconnaissent jamais comme quelqu'un d'important pour eux. Et que la «mayonnaise» de la nouvelle famille ne prenne pas...

Mais pour être efficace, nous devons commencer par faire un sort à la culpabilité qui anime beaucoup d'adultes dans cette situation! Certes, les enfants sont sans doute en souffrance d'avoir vécu le divorce de leurs parents; certes, les liens entre demi-frères et sœurs sont loin d'être simples. Mais ces choix de vie que nous avons faits, il faut maintenant les assumer le plus sereinement possible.

Un demi-frère et une demi-sœur se battent? Plutôt que de se morfondre en invoquant une situation inextricable, plutôt que de se contenter d'analyser le problème à travers le prisme de son seul statut de beau-parent, plutôt que de laisser dégénérer, faisons plus simple! Disons-nous tout bonnement que nous avons en face de nous deux enfants qui s'étripent et qu'il faut les séparer, comme s'il s'agissait de petits voisins ou d'enfants de copains. Dans des situations complexes, on est parfois obligé d'avoir recours à des réflexes «basiques»! En sortant vous-même de ce contexte «dynamité» de la famille recomposée, vous aidez les enfants à s'en extraire eux aussi, à ne plus être seulement des enfants de divorcés, victimes d'enjeux d'adultes qui ne devraient pas les concerner.

De toute façon, quoi que vous disiez ou fassiez, vous aurez sûrement droit au cri rageur d'un des bambins: «Tu n'as rien à me dire, tu n'es pas mon père (ou ma mère)!» C'est vrai, mais vous êtes un adulte vivant sous

le même toit que lui et à ce titre, vous n'avez pas à supporter des chamailleries trop bruyantes et violentes qui
outrepassent votre seuil de tolérance!

Autre géométrie familiale, autre problématique. Dans
les familles nombreuses, on peut être tenté par une
autre «dérive»: ne pas intervenir quand les enfants se
battent, par lassitude, et laisser l'aîné ou les aînés régler
le problème à notre place. Les «grands» ne deman-
dent souvent qu'à occuper cette position très valorisante et grisante de gendarmes par rapport aux
«petits». Mais si on les autorise à endosser cette fonction autoritaire, ils se mettent en dehors de la fratrie et
faussent tous les équilibres. Les disputes doivent justement rester des moments où les alliances fluctuent de
manière souple et surtout pas devenir une occasion de
figer les clans, celui des «grands» contre celui des
«petits», par exemple. Là encore, il n'y a pas d'autre
solution que de relever ses manches et se colleter per-
sonnellement aux bagarreurs. Dur et épuisant métier
que celui de parents! Mais passionnant, car nous ne
cessons d'en apprendre sur nous-mêmes et sur l'hu-
main, c'est-à-dire sur les ressources infinies qui nous
habitent et nous permettent de dépasser bien des
situations difficiles.

L'essentiel

▓ Si on se refuse à intervenir dans les disputes de nos enfants, indirectement, on soutient le plus fort contre le plus faible. Par là même, on les enferme dans des rôles stéréotypés de «dominant» et de «dominé», dont ils auront bien du mal à se défaire ensuite.

▓ À l'adolescence, on peut cependant prendre un peu de recul par rapport aux conflits entre frères et sœurs : il devient difficile de se mêler des affaires de quasi-adultes.

▓ Face à des enfants plus jeunes qui se bagarrent, il faut commencer par poser fermement les règles du jeu : pas de violence physique ni verbale outrancière. Et les faire respecter, si besoin en séparant physiquement les bambins.

▓ Ensuite, on pourra jouer les médiateurs : les aider à mettre des mots sur leur dispute, à comprendre ce qu'ils peuvent en tirer comme enseignement. Le tout sans prendre parti.

Chapitre 7
Osez la différence !

C'est en accordant à chaque enfant la possibilité de s'individualiser au sein de la fratrie qu'on l'aidera à s'épanouir le mieux possible. Comment y parvenir ? En reconnaissant et valorisant les différences entre frères et sœurs.

Pendant de très longues années, spécialement à l'époque où les familles étaient plus nombreuses, on a eu tendance à considérer la fratrie comme un bloc indivisible, une entité. Les parents éduquaient leurs enfants d'avantage comme un groupe que comme une addition de personnalités singulières. Il était par exemple assez courant qu'une mère achète exactement le même modèle de vêtement pour tous ses garçons ou toutes ses filles, en tailles différentes. Un peu comme si l'uniforme – même l'uniformisation ! – était de rigueur entre frères et sœurs. Une attitude que l'on observe encore très couramment de nos jours envers les jumeaux.

■ Le piège de l'égalité

Et puis l'idée affirmant que l'enfant était une personne a fait son chemin dans les esprits. Surtout, les notions d'individu et de réalisation personnelle se sont largement imposées dans notre société moderne – c'est le versant positif de la montée de l'individualisme. Résultat: actuellement au sein des familles, on raisonne beaucoup moins en termes collectifs qu'individuels, on admet plus facilement que chaque membre de la fratrie puisse avoir ses spécificités. Jusqu'à un certain point cependant...

Car tout se passe comme si nous avions peur d'assumer ces différences entre nos enfants. Sans doute en partie parce qu'une confusion existe dans le langage courant: l'expression «faire des différences» n'est-elle pas souvent entendue comme un synonyme de «faire des préférences»? En optant pour un égalitarisme absolu, on peut ainsi espérer – de manière complètement illusoire – échapper au piège des injustices. Prenons un cas très courant, le casse-tête des cadeaux de Noël. Beaucoup de parents ne s'autorisent pas le moindre écart: ils respectent au centime près le même budget pour chacun de leurs enfants, n'osant pas accorder une «rallonge» à l'un, même si l'occasion s'y prête, parce que cette année il a demandé un instrument de musique par exemple. Qu'y aurait-il de mal à encourager sa vocation de musicien? Il sera bien temps l'année prochaine d'octroyer un «gros» cadeau à un autre frère ou sœur pour rééquilibrer la balance. Mais non, ça ne se fait pas, ça ne serait pas juste! À trop poursuivre l'obsession de l'égalité absolue, on peut en arriver à passer à côté de ce qui fait l'originalité d'un de nos enfants. Dommage.

Ne sous-estimons pas non plus les motivations très matérielles qui nous poussent à cette «standardisation». Au quotidien, il est évidemment beaucoup plus simple de «gérer» la fratrie globalement plutôt que de prendre en compte toutes les particularités de chacun. C'est en tout cas ce que l'on croit, mais la réalité est parfois bien différente…

Intéressons-nous au cas de cette maman, qui, voulant limiter le temps passé à lire des histoires à chacun de ses deux fils le soir au pied du lit, eut l'idée d'en raconter une seule pour les deux. Le résultat ne fut pas du tout à la hauteur de ses espérances! Ce moment du coucher se transforma alors en véritable pugilat où chacun des deux frères voulait imposer «son» histoire. Et s'ils n'avaient pas eu gain de cause, ils s'arrangeaient pour tout gâcher. En voulant leur accorder à tous les deux exactement la même chose, cette maman n'a fait qu'attiser, bien involontairement, leurs rivalités. Une solution aurait pu consister à lire une histoire à tour de rôle à chacun, un soir sur deux. Une manière de les prendre en considération individuellement et entièrement, tout en tenant compte des contraintes de fatigue et de manque de temps qui s'imposent à la plupart des parents.

▧ Le besoin d'être unique

Car tout enfant a besoin d'avoir parfois le sentiment d'être unique aux yeux de son père et de sa mère. Un besoin sans doute d'autant plus fort que la fratrie est nombreuse et le regard des parents quelque peu «dilué» entre tous. Plus il se sentira reconnu en tant qu'individu et non pas seulement comme un élément du groupe, moins il sera tenté de tout faire pour être remarqué, pour «sortir du lot».

L'un des paradoxes du lien fraternel est en effet le risque de fusion. Qui nous ressemble plus qu'un frère ou une sœur puisque nous partageons un «morceau» d'histoire commune? Or trop de ressemblances fraternelles peuvent entraîner sur la voie dangereuse de l'indifférenciation et donc de la confusion identitaire. Qui suis-je donc par rapport à ce frère ou cette sœur qui a tant de points communs avec moi, qui ne suis-je pas, qu'est-ce qui m'appartient, qu'est-ce qui ne m'appartient pas, où sont mes propres limites? Ce feu d'interrogations provoque beaucoup d'angoisse chez un enfant et surtout l'empêche de construire un sentiment de confiance en lui. Voilà aussi pourquoi il cherchera souvent à se faire remarquer: pour se distinguer de ses frères et sœurs, et ainsi se rassurer.

D'où l'importance capitale de lui accorder le droit à la différence. Ainsi reconnu dans ce qu'il a de propre et de spécifique, un enfant peut se structurer au sein de la fratrie sans s'y fondre, sans être angoissé. Par ailleurs, accepter son enfant comme un être unique, au-delà des ressemblances avec ses frères et sœurs, c'est lui envoyer le message qu'on le «prend» tout entier, qu'on donne de l'importance à ce qu'il a de plus personnel: son monde intérieur, son imagination, ses pensées. On en fera ainsi un bambin plein de confiance en lui, sûr de sa valeur, ayant de l'estime pour lui-même. Un bon bagage pour sa vie future!

Une seule solution pour offrir ce cadeau à un enfant: passer du temps en tête à tête avec lui, sans les frères et sœurs. Pas nécessairement des heures, mais en instaurant des petits rendez-vous réguliers. Pourquoi ne pas prendre une baby-sitter une heure ou solliciter les grands-parents pour garder les plus jeunes et aller faire du roller avec le grand? Pourquoi, de temps en temps, ne pas se dégager de son travail pour déjeuner avec l'un, tout seul, entre midi et deux? Rien n'interdit non plus d'aller au cinéma avec l'un pendant que les frères et sœurs restent à la maison avec le deuxième parent. Cela n'a rien de choquant ni d'injuste, le tour des autres viendra plus tard. Certes, cela demande une organisation à toute épreuve, des efforts supplémentaires... Mais le jeu en vaut la chandelle.

Attention cependant à veiller à ce que les moments privilégiés ne soient pas toujours accordés au même enfant. Il faut aussi éviter de s'installer dans une répartition trop figée: maman au square avec le petit, papa au foot avec l'aîné. Il faut que ça «tourne»! Et puis, surtout, il est important de suivre un enfant sur ses terrains de prédilection. À lui de choisir où il désire vous emmener, les passions qu'il souhaite vous faire découvrir, même si à priori cela ne vous attire pas... C'est à cette condition qu'il se sentira exister à vos yeux et que vous pourrez personnaliser votre relation avec lui : ce que vous partagez là n'appartient qu'à lui et à vous, ses parents, hors de ses frères et sœurs. Avec l'une de vos filles vous parlerez danse, avec l'autre votre complicité s'articulera autour du judo. À chacune son domaine, sans interférences possibles !

La différence, une richesse

Si un enfant a besoin de se sentir unique, il attend aussi de vous que vous lui accordiez le droit à la différence. Imaginez la morosité d'une fratrie où tous les enfants seraient «faits» avec le même moule, ayant tous le même caractère et les mêmes centres d'intérêt. Quelle tristesse ! Et pourtant, nous avons bien souvent tendance à appeler cette «normalisation» de nos vœux : «Prends exemple sur ta sœur qui est calme», «Fais donc comme ton frère qui range sa chambre.» Avec ce genre de phrases, nous laissons croire à nos enfants que nous les voudrions tous pareils, et que leurs différences nous gênent.

Arrêtez de vous disputer !

C'est le discours totalement contraire qu'il faudrait tenir ! Imaginons une famille de deux garçons où l'un est rationnel et ordonné (jamais il n'oublie sa trousse et ses cahiers, même quand il part en vacances) et l'autre sportif et joueur (jamais il n'oublie son ballon et ses jeux). Plutôt que de vouloir les «aligner» l'un sur l'autre en fonction de ses propres «penchants» de parents – ce qui aurait forcément pour effet d'en frustrer un –, on peut envisager la situation d'une tout autre manière : faire prendre conscience aux deux enfants de la richesse qu'ils peuvent tirer de leurs différences, les aider à transformer la représentation qu'ils ont de l'autre. En disant à l'un : «Tiens, grâce à ton frère, on a toujours des feuilles et des stylos pour dessiner, même loin de la maison, on retrouve toujours les affaires car elles sont bien rangées, c'est agréable ! » Et à l'autre : «Heureusement que ton frère est toujours d'humeur joueuse, cela met une bonne ambiance dans la maison ! » Au lieu de dresser le «raisonnable» contre le «foufou», on leur montre comment ils peuvent se compléter pour le plaisir de toute la famille. Au lieu de vouloir les cloner, on encourage leur complémentarité : c'est sur ce terreau-là que pourront se créer de formidables et durables complicités.

En respectant les différences de chacun, au sein de la fratrie, on montre aux frères et sœurs que le groupe n'est pas une menace qui va les empêcher de «s'individuer» et de s'épanouir, que leur personnalité profonde ne risque pas d'être broyée par les exigences collectives. Autant de chances que l'on met de son côté pour que les relations fraternelles perdurent sur le long terme puisqu'elles ne sont pas menaçantes. Comme tous les parents, vous rêvez bien sûr que les années séparent le moins possible vos enfants. Quelle joie de les voir se retrouver alors qu'ils sont adultes, régressant avec bonheur vers leurs jeux et souvenirs enfantins !

L'essentiel

▓ Pour nos grands-parents, la fratrie était avant tout envisagée comme un groupe et on se souciait moins qu'aujourd'hui des individus qui la composaient et de leurs spécificités.

▓ Actuellement, on pourrait croire cette tendance révolue, à l'heure où l'individu est roi. Et pourtant, de peur de faire des préférences ou par commodité, on a du mal à assumer les différences entre nos enfants.

Arrêtez de vous disputer !

Or, pour se structurer, un enfant a besoin de se sentir unique par moments. À nous de trouver des solutions pratiques pour lui accorder des tête-à-tête.

Il importe aussi d'expliquer à nos enfants comment les différences de leurs frères et sœurs peuvent les enrichir.

Conclusion

Faire face aux disputes parfois tellement violentes de vos enfants peut vous sembler un défi bien compliqué à relever et surtout très épuisant... Si à certains moments vous êtes gagnés par le découragement ou la tentation du renoncement – «après tout, qu'ils se débrouillent entre eux!» –, accrochez-vous à la certitude que vous travaillez pour leur avenir. En effet, tout ce qu'un enfant aura découvert durant ses jeunes années dans ses relations avec ses frères et sœurs, il s'en resservira immanquablement dans d'autres rencontres ultérieures, hors de la fratrie. Quand on a eu la chance de pouvoir vivre un lien fraternel dans toute sa complexité, guidé et accompagné par ses parents, on est d'autant mieux armé pour affronter ensuite tout type de relations humaines. Quel beau cadeau!

Et qu'aura donc appris un enfant au gré des vicissitudes du lien fraternel, quand ses parents auront su être présents à bon escient? Rien de moins que la fraternité et l'altérité. Ce respect de l'autre dans sa globalité, dans ce qu'il a de meilleur et aussi de pire. L'acceptation de soi, avec, là encore, le bon et le mauvais. La capacité à reconnaître la souffrance qu'on a pu infliger, malgré soi, à un frère ou une sœur. Des acquis qui resteront les siens pour toute sa vie et auxquels il aura accédé grâce à vous, à votre engagement courageux et respectueux dans ses querelles avec ses frères et sœurs.

Bien sûr, vous ne verrez peut-être pas dans l'immédiat les fruits de vos efforts. Peut-être que vos enfants continueront malgré tout à se battre comme des chiffonniers, ne vous montreront que le revers «haine» de la médaille fraternelle. Mais si ces valeurs de fraternité comptent pour vous et que vous vous faites un point d'honneur à les transmettre, alors vos bambins les emporteront forcément dans leur valise quand ils vous quitteront. Et dites-vous bien qu'un jour ou l'autre ils sauront se saisir de cet héritage. Car la fraternité, avec ses frères et sœurs mais aussi en dehors de la fratrie, peut se construire à tout âge…

Bibliographie

■ Pour les adultes

ANGEL S., *Des frères et des sœurs, la complexité des liens fraternels*, Robert Laffont, 1996.

CAMDESSUS B., *La fratrie méconnue*, ESF, 1998.

LETT D., *Histoire des frères et sœurs*, La Martinière, 2004.

POIVRE D'ARVOR P. et POIVRE D'ARVOR O., *Frères et sœurs*, Balland, 2004.

RUFO M., *Frères et sœurs, une maladie d'amour*, Fayard, 2002.

SCELLES R., *Frères et sœurs, complices et rivaux*, Fleurus, 2003.

■ Pour les enfants

ANTIER E. et LAMBLINC C., *La maman de Jules attend un bébé*, Nathan, 2001.

ASHBE J., *Et dedans il y a*, École des Loisirs, 1997.

ASHBE J., *ET après, il y aura*, École des Loisirs, 2000.

BRAMI E., *Devenir frère ou sœur, Petits bonheurs et petits bobos*, Seuil Jeunesse, 2000.

Arrêtez de vous disputer !

DOLTO-TOLITCH C., *Un bébé à la maison*, Gallimard Jeunesse, 1997.

DOLTO-TOLITCH C., FAURE-POIRÉE C. et BOUCHER J., *Attendre un petit frère ou une petite sœur*, Gallimard Jeunesse, 1997.

HUBLET C., *Maman attend un bébé*, Fleurus, 2001.

REY F., RICHERD A. et MAESTRI M., *Frères et sœurs pour la vie ?* La Martinière Jeunesse, 1999.

VILCOQ M., *J'attends un petit frère*, École des Loisirs, 2001.

Contacts utiles

Société française de thérapie familiale psychanalytique.
Tél.: 01 45 43 97 05 – 154, rue d'Alésia, 75014 Paris.

Pluralis, centre de consultations pluridisciplinaires.
Tél.: 01 47 20 60 99 – 29, rue François-Ier, 75008 Paris.

Centre de thérapie pluridisciplinaire du parc Monceau. Tél.:
01 43 87 63 42 – 4, passage Geffroy-Didelot, 75017 Paris.

CECCOF (Centre d'études cliniques des communications familiales). Tél.: 01 48 05 84 33 (antennes à Dijon et Limoges) – 96, avenue de la République, 75011 Paris.

Fédération nationale couple et famille. Tél.: 01 42 85 25 98 – 28, place Saint-Georges, 75009 Paris.

Association pour la médiation familiale. Tél.: 01 43 40 29 32 – 11, rue Beccaria, 75012 Paris.

École des parents et des éducateurs. Tél.: 01 44 93 44 88 (antennes en province) – 5, impasse Bon-Secours, 75011 Paris.

Table

Conception graphique et réalisation : Louise Daniel.
Impression : Bussière en avril 2005.
Éditions Albin Michel
22, rue Huyghens, 75014 Paris
www.albin-michel.fr
ISBN : 2-226-15737-9
N° d'édition : 23387. – N° d'impression : 051315/1.
Dépôt légal : mai 2005.
Imprimé en France.